GUÍA DE LOS PARQUES NACIONALES

COSTA RICA

NATIONAL PARKS GUIDE

Dibujos / Drawings: *Víctor Esquivel Soto*

Fotografías / Photographs:
Archivo San Marcos (www.archivosanmarcos.com):
J. Abaurre, J. Andrada y J.A. Fernández, J.M. Barrs, L. Blas Aritio, J. & J. Blassi, J.A. Fernández, J.A. Fernández y C. de Noriega, H. Geiger, H. Geiger y F. Candela, J. L. González Grande, Koky Aragón, E. López-Tapia P. Morton, A. Ortega, S. Saavedra, y A. Vázquez

© Copyright 2002 *Ediciones San Marcos S.L.*
3ª edición revisada - Enero 2007
Reservados todos los derechos / All rights reserved

Edita / Published by *Incafo Costa Rica S. A.*
Director para / Director for Costa Rica: *Ricardo Zúñiga H.*
Tfno: (506) 223 46 68
e-mail: incafo@racsa.co.cr

Editor / Chief Editor: *Luis Blas Aritio*
Documentación fotográfica / Photo research: Luis *Blas Méndez de Vigo*
Producción / Production: *Diego Blas Méndez de Vigo*
Diseño / Design: *Alberto Caffaratto*
Traducción / Translated by: *Lesley Ashcroft*

Impresión y encuadernación / Printing and binding: *Jomagar,* Madrid

I.S.B.N.: 84-89127-33-6
Depósito Legal: M-52133-2006

Playa Naranjo • Naranjo beach

Venado colablanca • White-tailed deer

goes from sea level to almost 1,700 meters of Orosí and Cacao volcanoes, this protected area numbers among those that contain the greatest variety of habitats in Costa Rica. Santa Rosa conserves the most important example of dry tropical forest in the whole of Central America. This has led to the national park being one of the most important international research centers into the ecology of this kind of forest in the world. The Santa Elena Peninsula, which also belongs to the national park, is the oldest area in the country from a geological point of view as it is a peridotite outcrop 85 million years old. This peninsula is also the driest part of the country. Santa Rosa is one of the most historically important areas in Costa Rica. The *Casona* and *corrales,* which date from the colonial period and have been converted into a museum, were the scene of the victorious battle against the filibusters on 20 March 1856 that represented the consolidation of national sovereignty.

The most outstanding feature of Guanacaste National Park is its two principal volcanoes. Cacao Volcano is a 1,659- meter-high stratovolcano that has not been active in thousands of years. Its sides are covered in moist evergreen forest and cloud forest with thick low vegetation. Cacao Biological Station is located in its foothills. Orosí Volcano, 1,446 m high, is another conical stratovolcano that has not been active in the last few thousand years. Its foothills are covered in very thick moist and cloud forest, while dry forest and gallery forest grow in the lower parts. The River Tempisque, one of the longest and most important in economic terms

Mono congo
• Mantled howler monkey

Vista desde el cerro Cacao • View from Cacao hill

espinosos donde se pueden encontrar ágaves y cactos; los manglares y la vegetación de playa. En las faldas y cimas de los volcanes crecen los bosques húmedos siempreverdes y los bosques nubosos de vegetación achaparrada, en los que abundan las orquídeas y los helechos.

Una fauna abundante y diversa vive en el área protegida. En ella se han censado 115 especies de mamíferos, de los que más de la mitad son murciélagos, 300 especies de aves, entre ellas la urraca copetona *(Calocitta formosa)* y la aratinga

INFORMACIONES PRÁCTICAS

- **Localización:** al noroeste de la provincia de Guanacaste, en las proximidades de la frontera con Nicaragua.
- **Accesos:** por la carretera Panamericana, a través de Liberia. A la Administración principal, ubicada a 43 km de Liberia, se llega por una carretera asfaltada. A la Estación Biológica Cacao, a 51 km de Liberia, se accede por la Panamericana desviándose hacia Quebrada Grande y Góngora. Existe un servicio de autobuses Liberia-Quebrada Grande. A la Estación Biológica Maritza, a 60 km de Liberia, se llega también por la carretera Panamericana, desviándose en el kilómetro 42. La Estación Biológica Pitilla se encuentra a 9 km de la población de Santa Cecilia. Existe un servicio de autobuses Liberia-Santa Cecilia.
- **Servicios:** junto a la Administración principal se encuentra el Museo de la Casona. En este sector del parque existen los siguientes senderos: Tanquetas, Mirador Tierras Emergidas, Indio Desnudo, Carbonal, El Pozo, Bosque Húmedo, Palo Seco, Naranjo, los Patos y Mirador Valle Naranjo. Cerca de la Administración principal se encuentra el Centro de Investigación del Bosque Seco Tropical con laboratorios, salas de reuniones y una amplia biblioteca. En el Sector Murciélago se hallan los senderos Poza del General, Loquito, Danta, El Hachal, Playa Blanca, Mirador Los Pargos, Mirador El Nance y Sendero El Nance. Desde la Estación Biológica Cacao salen senderos que conducen al Pedregal, a la cima del volcán, a los Naranjos y a la Estación Biológica Maritza. En la Estación Biológica Pitilla hay varios senderos denominados El Mismo, Evangelista, La Laguna, Nacho, Fila Orosilito y Cuestona. Desde la Estación Maritza salen senderos a Casa Fran, Los Petroglifos y la Estación Biológica Cacao. Los senderos de las tres estaciones abren desde la 8:00 a las 16:00 horas.
- **Alojamiento:** en Liberia y La Cruz existen hoteles, restaurantes y supermercados. En Santa Rosa existen dos áreas para acampar, una cerca del área administrativa y otra en las proximidades del museo con instalaciones y agua potable. En Playa Naranjo, Estero Real y Murciélago hay áreas para acampar pero sin agua potable. En las tres estaciones biológicas y en el Centro de Investigación del Bosque Tropical Seco, así como en la Estación Biológica de Nancite situada en la playa del mismo nombre hay facilidad de alojamiento previa reservación.
- **Direcciones de interés:** para cualquier tipo de información dirigirse a la Administración del Parque Nacional Santa Rosa, Telf.: (506) 666-5051; fax: (506) 666-5020; a la Administración del Área de Conservación Guanacaste, Telf.: (506) 666-5020, (506) 661-8151; e-mail: acg@acguanacaste.ac.cr

PRACTICAL INFORMATION

- **Location:** north-west of Guanacaste province in the vicinity of the border with Nicaragua.
- **Access:** along the Pan-American Highway through Liberia. To the main administration 43 km from Liberia access is via an asphalted road. Access to Cacao Biological Station 51 km from Liberia, is along the Pan-American, turning off towards Quebrada Grande and Góngora. There is a bus service Liberia-Quebrada Grande. To Maritza Biological Station 60 km from Liberia, access is also along the Pan-American Highway, turning off at kilometer 42. Pitilla Biological Station is 9 km from the town of Santa Cecilia. There is a bus service Liberia-Santa Cecilia.
- **Service:** next to the main administration office is the Museo de la Casona. In this sector of the park there are the following trails: Tanquetas, Mirador Tierras Emergidas, Indio Desnudo, Carbonal, El Pozo, Bosque Húmedo, Palo Seco, Naranjo, Los Patos and Mirador Valle Naranjo. Near the main administration building is the Dry Tropical Forest Research Center with laboratories, meeting rooms and a large library. In the Bat Sector there are the following trails: Poza del General, Loquito, Danta, El Hachal, Playa Blanca, Mirador Los Pargos, Mirador El Nance and Sendero El Nance.
  From Cacao Biological Station, trails lead to El Pedregal, the top of the volcano and Los Naranjos and Maritza Biological Station. At Pitilla Biological Station there are the El Mismo, Evangelista, La Laguna, Nacho, Fila Orosilito and Cuestona trails. From Maritza Station, trails lead to Casa Fran, Los Petroglifos and Cacao Biological Station. The trails at the three stations are open from 08.00 to16.00.
- **Accommodation:** in Liberia and La Cruz there are hotels, restaurants and markets. In Santa Rosa there are two campsites, one close to the administrative area and the other near the museum, with facilities and drinking water. On Naranjo Beach, Estero Real and Murciélago there are places to camp but no drinking water. At the three biological stations, the Dry Tropical Forest Research Center and the Nancite Biological Station on the beach of the same name accommodation is available provided it is booked in advance.
- **Useful addresses:** for all information, contact the park administration of Santa Rosa National Park on Tel.: (506) 666-5051; fax: (506) 666-5020; or the administration office of the Área de Conservación Guanacaste, Tel.: (506) 666-5020, (506) 661-8151; e-mail: acg@acguanacaste.ac.cr

in the country, rises in this massif. Maritza Biological Station is located here, and in its environs is the park known as El Pedregal, containing hundreds of petroglyphs.

A third biological station – Pitilla – is situated 600 meters up in the foothills of Cerro Orosilito (1,210 m) and surrounded by primary forest on the Atlantic side. It is an exceptional birdwatching site.

The dry forest is home to 240 species of trees and shrubs, including the national tree of Costa Rica, the guanacaste tree *(Enterolobium cyclocarpum)*, guapinol *(Hymenaea curbaril)*, gumbo-limbo *(Bursera simaruba)*, rosewood *(Dalbergia retusa)* and the threatened mahogany *(Swietenia macrophylla)*. One tree species only found in the forests of Santa Rosa is *Ateleia herbert-smithii*.

Other characteristic habitats are the former grasslands or savannas covered in jaragua grass *(Hyparrhenia rufa)* from Africa, dotted with diverse species of trees such as rough-leaf tree *(Curatella americana)*; the holm oak forest *(Quercus oleoides)*; evergreen forest and riverine forest, the mezquite *(Prosopis juliflora)* and nacascol *(Caesalpinia coriacea)* swamps; the very thorny low thick forests with agaves and

Murciélago pardo • Brown bat

Volcán Orosí • Orosí volcano

frentinaranja *(Aratinga canicularis)*, más de cien especies de anfibios y reptiles, y más de 30.000 insectos, entre los que hay que destacar unas 5.000 especies de mariposas diurnas y nocturnas.

Las bellas playas de Nancite y Naranjo, en el Parque Nacional Santa Rosa, constituyen importantes lugares de desove para las tortugas marinas, principalmente loras *(Lepidochelys olivacea)*, baulas *(Dermochelys coriacea)* y verdes del Pacífico *(Chelonia agassizi)*. En Nancite tienen lugar las mayores arribadas de tortugas loras de toda la América Tropical.

ISLA BOLAÑOS

A 1.500 metros de Punta Descartes, al norte de la península de Santa Elena, y a sólo 3,5 km de la República de Nicaragua se alza la isla Bolaños, que forma parte del Parque Nacional Santa Rosa. Se trata de un peñón de 81 metros de altura, de forma ovalada y topografía irregular que cubre una superficie de 25 ha. Se encuentra tapizado por un denso matorral achaparrado caducifolio formado básicamente por paira *(Melanthera nivea)*, del que sobresalen árboles también caducifolios de mediana altura como el flor blanca *(Plumeria rubra)*, el alfajillo *(Trichilia hirta)*, el indio desnudo *(Bursera simaruba)* y el madroño *(Calycophyllum candidissimum)*. Sobre los enmarañados bejucos leñosos *(Arrabidea corallina)* nidifican muchas aves marinas.

Desde el punto de vista ornitológico, la isla Bolaños tiene una gran importancia. Es el único lugar que hasta la fecha se conoce en Costa Rica en el que nidifican las tijeretas de mar *(Fregata magnificens)* y los ostreros americanos *(Haematopus palliatus)*. La colonia de tijeretas de mar, formada por varios centenares de parejas reproductoras, se concentra en los altos farallones del sudoeste de la isla. En la parte norte se localizan varias colonias nidificantes de pelícanos alcatraces *(Pelecanus occidentalis)*. Allí construyen sus nidos, entre los meses de diciembre y julio, de 500 a 600 parejas reproductoras.

Isla Bolaños • Bolaños Island

cacti; the mangrove swamps and beach vegetation. In the foothills and on the peaks of the volcanoes there is moist evergreen forest and cloud forest with low thick vegetation and lots of orchids and ferns.

The protected area is also home to numerous and diverse wildlife species. One hundred and fifty species of mammals have been recorded, over half that number being bats. The 253 bird species include the white-throated magpie jay *(Calocitta formosa)* and the orange-fronted parakeet *(Aratinga canicularis)*. There are also over one hundred species of amphibians and reptiles and more than 30.000 insects, including about 5.000 species of butterflies and moths. The lovely beaches of Nancite and Naranjo in Santa Rosa National Park are important laying sites for marine turtles, mainly Pacific ridleys *(Lepidochelys olivacea)*, leatherback *(Dermochelys coriacea)* and Pacific greens *(Chelonia agassizi)*. Nancite witnesses the largest hauling out of olive ridley turtles in all Tropical America.

Urraca copetona
• White-throated magpie-jay

BOLAÑOS ISLAND

1,500 meters from Descartes Point in the north of Santa Elena Peninsula and only 3.5 km from the Republic of Nicaragua is Bolaños Island, part of Santa Rosa National Park. This 81-meter-high oval rock consists of uneven terrain covering a surface area of 25 ha. It is covered in thick low deciduous scrub basically made up of white melanthera *(Melanthera nivea)* studded with medium-height deciduous trees such as frangipani *(Plumeria rubra)*, alfajillo *(Trichilia hirta)*, gumbo-limbo *(Bursera simaruba)* and madroño *(Calycophyllum candidissimum)*. Many seabirds nest on the tangle of woody vines *(Arrabidea corallina)*.

From the ornithological point of view, Bolaños Island is very important. It is the only place so far known in Costa Rica where magnificent frigatebirds *(Fregata magnificens)* and American oystercatchers *(Haematopus palliatus)* nest. The frigate bird colony consists of several hundred breeding pairs on the high cliffs in the south-west of the island. In the north, there are several colonies of brown pelicans *(Pelecanus occidentalis)*, where between 500 and 600 breeding pairs build their nests between December and July.

PARQUE NACIONAL RINCÓN DE LA VIEJA

Lago Los Jilgueros • Lake Los Jilgueros

El Parque Nacional Rincón de la Vieja fue creado en el año 1974 con una extensión de 14.161 hectáreas con objeto de proteger un amplio sistema de cuencas

Pavón norteño • Great curassow

hidrográficas que nacen en el complejo volcánico. El macizo del Rincón de la Vieja, con una altitud de 1.916 m, es un estratovolcán de la cordillera de Guanacaste de 400 km² formado por un vulcanismo simultáneo de nueve focos eruptivos que en su desarrollo acabaron convirtiéndose en una sola montaña.

De los nueve puntos eruptivos sólo el Rincón de la Vieja permanece activo, mientras que el resto se encuentra en un proceso de degeneración eruptiva. El más alto es el cráter inactivo Santa María, de 1.816 m. El último período de fuerte actividad tuvo lugar entre 1966 y 1975 y las erupciones más recientes fueron en 1991, 1995 y 1997. Hacia el sur del cráter activo se encuentra una laguna de agua dulce conocida como el lago Los Jilgueros, de unas 6,5 hectáreas, rodeada de una exuberante vegetación. Es un lugar muy visitado por los solitarios carinegros *(Myadestes melanops)*, de ahí su nombre y al que acuden con frecuencia las dantas *(Tapirus bairdii)*.

En el área protegida nacen 32 ríos, entre ellos el Colorado, el Blanco y el Ahogados. Además existen 16 quebradas de aguas intermitentes, muchas de ellas tributarias del río Tempisque. La accidentada topografía del terreno y la abundancia de agua hacen que las cataratas se multipliquen, siendo las más importantes las del Sector Pailas: La Cangreja en la Quebrada Zanja Tapada y las Cataratas Escondidas situadas en la Quebrada Agria, un conjunto de cuatro caídas de agua de 60 a 70 metros de altura. En el Sector Santa María destaca la cascada del Bosque Encantado sobre el río Zopilote.

En la ladera sur del volcán, al pie del mismo, se localizan las áreas denominadas Las Pailas y Las Hornillas, que

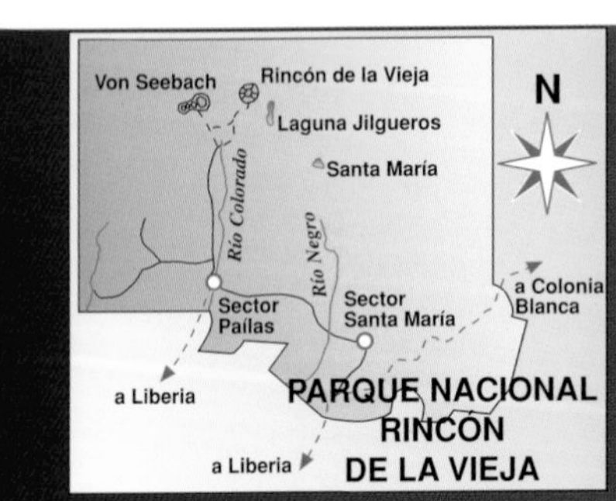

DISTANCIAS DE SENDEROS (Km)			
SENDERO A:	Km	Casona-Pailas de Agua Fría	1.6
De la entrada a Casona	2.5	Casona-Desvío a Pailas	1.8
Casona-Mirador	450 m.	Casona-Sector Pailas	8.0
Casona-Catarata Bosque Encantado	1.1	Casona-Aguas Termales	2.75
		A Liberia	25
		A Colonia Blanca	17.0

RINCÓN DE LA VIEJA NATIONAL PARK

Rincón de la Vieja National Park was created in 1974 over 14,161 hectares of land in order to protect a large wide-ranging system of drainage basins that rise in the series of volcanoes. The 1.916 meter-high Rincón de la Vieja massif is a stratovolcano of the Cordillera de Guanacaste whose 400 km² came about as the result of simultaneous volcanic action at nine eruption points, which in the end formed a single mountain.

Of the nine eruption points, only Rincón de la Vieja is still active, while the rest are in a process of decline. The highest is the inactive crater Santa María at 1,816 m. The last period of intense activity occurred between 1966 and 1975 and the most recent eruptions were in 1991, 1995 and 1997. To the south of the active crater there is a 6.5-hectare freshwater lagoon known as Lake Los Jilgueros surrounded by lush vegetation. It is much visited by black-faced solitaires *(Myadestes melanops),* hence its name, and Baird's tapir can also often be found there *(Tapirus bairdii).*

Thirty two rivers rise in the protected area, including the Colorado, Blanco and Ahogados. There are also 16 seasonal creeks, many of which are tributaries of the River Tempisque. The uneven terrain and plentiful water give rise to many waterfalls, the most important being in the Pailas sector. La Cangreja in the Quebrada Zanja Tapada

Área de las Pailas • Las Pailas sector

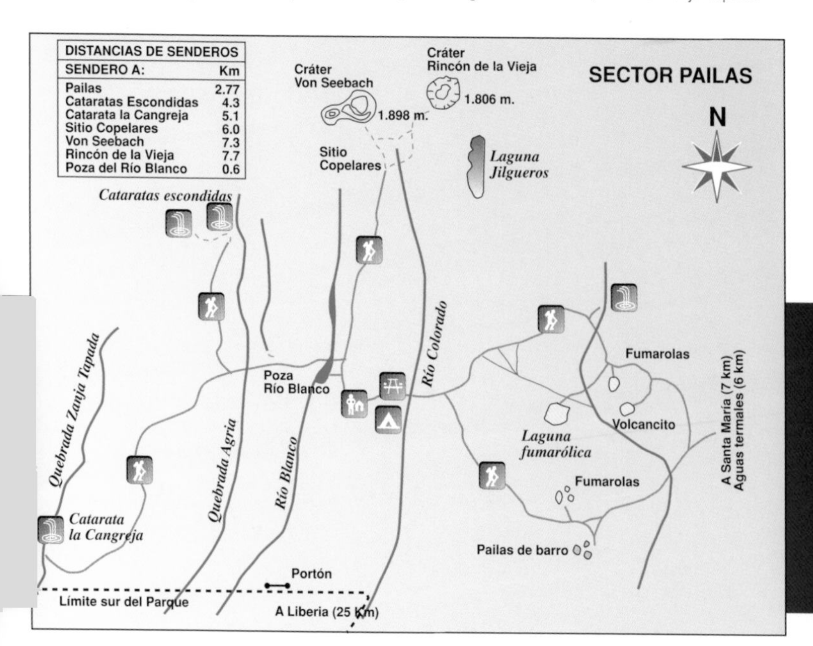

Cráter Rincón de la Vieja • Rincón de la Vieja crater

abarcan unas 50 ha. En ellas se localizan diferentes manifestaciones de una continua actividad volcánica, como fuentes termales, lagunas solfatáricas, orificios por donde salen a presión y se elevan chorros de vapor denominados soffioni y unos característicos volcancitos de lodo, asociados a reservorios de agua caliente, en los que el barro burbujea permanentemente por la salida continua de vapores y gases sulfurosos.

En el parque nacional se distinguen diferentes hábitats altitudinales. Cerca de la cima, prácticamente desprovista de vegetación, crecen bosques bajos, con árboles retorcidos, muy ramificados, tapizados por musgos y numerosas plantas epífitas. En ellos la especie dominante es el copey *(Clusia rosea)*. Entre los 800 y los 1.500 metros se elevan densas y altas masas forestales con especies como el roble *(Quercus oocarpa)*, el ciprés blanco *(Podocarpus macrostachyus)* y el guanacaste *(Enterolobium cyclocarpum)*. En el área noroeste, en la vertiente atlántica, el dosel forestal llega hasta los 40 metros de altura, con especies como el María *(Calophyllum brasiliense)* y el mayo o botarama *(Vochysia allenii)*. Su denso sotobosque está dominado por las palmas. En el parque nacional se localiza la mayor población en estado silvestre de la guaria morada *(Guarianthe skinneri)*, una bellísima orquídea, que es la flor nacional.

Entre los mamíferos hay que destacar la presencia del puma *(Felis concolor)*, el cabro de monte *(Mazama americana)*

EL ÁRBOL NACIONAL DE COSTA RICA

El guanacaste *(Enterolobium cyclocarpum)* es un árbol corpulento, perteneciente a la familia de las leguminosas, característico de los bosques caducifolios y semicaducifolios de las tierras bajas del Pacífico costarricense. Se trata de un árbol que posee un rápido crecimiento.

Sus blancas y redondas inflorescencias aparecen durante el verano, casi simultáneamente con la aparición de las hojas nuevas en las ramas que han permanecido desnudas durante los cuatro meses que dura la estación seca. De esas flores nacen unos frutos verdes muy pequeños que no superan los 2 cm, desarrollándose rápidamente hasta convertirse en unos frutos verdes en forma de oreja que miden de 10 a 14 cm de diámetro y que pueden contener cada uno hasta 15 semillas.

Las semillas verdes son muy buscadas por los loros del género *Amazona*. Los cariblancos o pecaris *(Tayassu pecari)* y las dantas *(Tapirus bairdii)* comen los frutos caídos en el suelo, lo mismo que hace el ganado herbívoro, que las buscan ávidamente en los potreros. La semilla tiene una dura y pesada cubierta que sólo puede germinar cuando ésta se ha debilitado por el uso, por el paso a través del tracto digestivo de un animal o por métodos mecánicos.

Entre sus enemigos más importantes se encuentra un pequeño roedor terrestre (*Liomys salvini)* que recolecta las semillas de las vainas recién caídas, almacenándolas en sus guaridas. Es tan intensa su depredación sobre estas semillas, que en aquellos lugares en que habita este roedor es casi imposible que crezca este árbol de manera natural. Las larvas de una especie de polilla *(Coenipita bibyrix)* se comen durante el mes de julio la cosecha de hojas en toda la región de Guanacaste. Su amplia copa proporciona una agradable sombra para las personas y el ganado, por lo que es un árbol muy común en los potreros de Guanacaste. Su madera, de color pardo-rojizo es muy resistente a los hongos y se utiliza en artesanía y ebanistería, también para hacer postes de cerca o como leña.

and the Cataratas Escondidas (Hidden Falls) in Quebrada Agria, a series of four waterfalls 60 to 70 meters high. In the Santa María sector there is the impressive Cascada del Bosque Encantado (Enchanted Forest Waterfall) on the River Zopilote.

On the volcano's southern slope, at its foot, are the areas known as Las Pailas and Las Hornillas, which cover around 50 ha. They contain different examples of continuous volcanic activity such as thermal springs, solfataric lagoons, holes where streams of steam that emerge under pressure called soffioni and typical small mud volcanoes associated with reservoirs of hot water, in which the mud permanently bubbles due to the continually emerging steam and sulfurous gases.

The national park has different habitats at different altitudes. Near the top, virtually devoid of vegetation, there are low forests, with twisted trees with lots of branches clad in a mass of mosses and epiphytes. The dominant species is the copey *(Clusia rosea)*. At between 800 and 1,500 meters altitude, there are dense tracts of tall forest with species such as oak *(Quercus oocarpa),* white cypress *(Podocarpus macrostachyus)* and guanacaste *(Enterolobium cyclocarpum)*. In the northwest, on the Atlantic side, the forest canopy reaches 40 meters high and includes Santa María *(Calophyllum*

Picogrueso pechirrosado • Rose-breasted grosbeak

Árbol guanacaste • Guanacaste tree

COSTA RICA'S NATIONAL TREE

The guanacaste *(Enterolobium cyclocarpum)*, a sturdy fast-growing tree belonging to the family of leguminous plants, is typical of deciduous and semi-deciduous forests in the lowlands of the Pacific slope of Costa Rica.

Its round white inflorescences appear in summer almost at the same time as new leaves sprout on the branches which have remained bare for the four months of the dry season. Its flowers yield green fruits no bigger than 2 cm, which grow rapidly into green ear-shaped fruits 10 to 14 cm in diameter, each of which may contain up to 15 seeds.

The green seeds are much sought after by parrots of the genus *Amazona*. The white-lipped peccary *(Tayassu pecari)* and Baird's tapir *(Tapirus bairdii)* eat the fruits that have fallen to the ground as do the herbivorous livestock that seek them avidly on the livestock ranches. The seed is only able to germinate when its hard thick shell has been worn down by passing through the digestive tract of an animal or by mechanical means.

Its most important enemies are a small terrestrial rodent called the spiny pocket mouse *(Liomys salvini)*, which picks the seeds out of the recently fallen pods and stores them in its dens. This rodent exerts such intensive predation on the seeds that in some places where it occurs it is almost impossible for the tree to grow naturally. In July, larvae of a species of moth *(Coenipita bibyrix)* eat the leaf output of the entire Guanacaste region.

Its broad top crown provides agreeable shade for people and livestock and so it is a very common tree on the Guanacaste's livestock ranches. Its hardy browny-reddish timber withstands fungi and is used in craftwork and cabinet making, as well as for fence posts or as firewood.

Río Blanco • Blanco River

y el oso colmenero *(Tamandua mexicana)*, así como tres especies de monos, los congos *(Alouatta palliata)*, los carablancas *(Cebus capucinus)* y los colorados *(Ateles geoffroyi)*. Más de 300 especies de aves han sido identificadas, entre ellas el campanero tricarunculado *(Procnias tricarunculata)*, a la que se conoce también como pájaro campana por su fuerte e inconfundible canto metálico. Otras aves aquí presentes son el pavón norteño *(Crax rubra)*, abundante en las partes bajas, el tucanete esmeralda *(Aulacorhynchus prasinus)* y el pájaro sombrilla cuellicalvo *(Cephalopterus glabricollis)*. Entre los insectos, que son muy abundantes, destacan por su belleza y colorido cuatro especies de mariposas del género *Morpho*.

INFORMACIONES PRÁCTICAS

- **Localización:** en la cordillera de Guanacaste, 25 km al noreste de Liberia, en las provincias de Guanacaste y Alajuela.
- **Accesos:** a la Administración del Sector Pailas se llega desde Liberia, a través de la carretera Panamericana por una desviación 5 km al norte, pasando por Guadalupe y Curubandé. Existen autobuses de Liberia a Curubandé. Para llegar al Sector Santa María, se sale del Barrio La Victoria de la ciudad de Liberia en dirección Colonia Blanca, con una desviación señalizada a la izquierda. Existe un autobús Liberia-Colonia Blanca que se detiene en la desviación a este sector.
- **Servicios:** desde la Administración del Sector Pailas salen una serie de senderos a las diferentes áreas del parque: como el de Las Pailas (2,7 km), las Cataratas Escondidas (4,3 km), la Catarata La Cangreja (5,1 km), Poza del Río Blanco (0,6 km), Sitio Copelares (6 km), Cráter Von Seebach (7,3 km) y Cráter Rincón de la Vieja (7,7 km). Un sendero conduce a Aguas Termales (6 km), que continúa hasta la Administración Santa María (8 km).
  La Administración Santa María es una casona antigua que pertenecía a una de las haciendas más grandes de la región dedicada a la ganadería y al cultivo del café y de la caña de azúcar. En ella se realizan continuamente exhibiciones. De la casona parten diversos senderos como El Mirador (0,45 km), la Catarata del Bosque Encantado (1,1 km), Las Pailas de Agua Fría (1,8 km) y el Colibrí (1 km).
- **Alojamiento:** junto a la Administración Pailas hay un área para acampar con mesas, lavabos y agua potable, lo mismo que en la Administración Santa María. En Liberia hay una amplia oferta hotelera y en las proximidades del parque existen albergues.
- **Direcciones de interés:** para cualquier tipo de información dirigirse a la Administración Pailas, Telf.: (506) 661-8139; o al Área de Conservación Guanacaste, Telf.: (506) 666-5051; fax: (506) 666-5020; e-mail: acg@acguanacaste.ac.cr

brasiliense) and botarama *(Vochysia allenii).* The predominant plants in the thick undergrowth are the palms. The national park contains the largest population in the wild of guaria morada *(Guarianthe skinneri)*, a beautiful orchid, which is the national flower.

Mammal species include the puma *(Felis concolor)*, red brocket *(Mazama americana)*, tamandua *(Tamandua mexicana)*, and three species of monkey: mantled howler monkey *(Alouatta palliata)*, white-faced capuchins *(Cebus capucinus)* and Central American spider monkey *(Ateles geoffroyi)*. Over 300 species of birds have been recorded, including the three-wattled bellbird *(Procnias tricarunculata)*, also called bellbird for its loud and unmistakable metallic-sounding call. Great curassow *(Crax rubra)* is common in the lower parts, and there are also emerald toucanets *(Aulacorhynchus prasinus)* and bare-necked umbrellabird *(Cephalopterus glabricollis)*. Amongst the numerous insects, four species of butterfly of the genus *Morpho* stand out for their beauty.

Área Las Hornillas • *Las Hornillas sector*

PRACTICAL INFORMATION

- **Location:** in the Cordillera de Guanacaste, 25 km north-east of Liberia in the provinces of Guanacaste and Alajuela.
- **Access:** you can get to the administration offices of the Pailas sector from Liberia along the Pan-American Highway via a turn-off 5 km to the north and passing through Guadalupe and Curubandé. There are buses from Liberia to Curubandé. To get to the Santa María sector leave from Barrio La Victoria in Liberia in the direction of Colonia Blanca, and there is a signposted turn-off to the left. There is a bus link between Liberia and Colonia Blanca that stops at the turn-off to this sector.
- **Services:** from the administration of the Pailas sector a series of trails run to different parts of the park such as Las Pailas (2.7 km), Las Cataratas Escondidas (4.3 km), Catarata La Cangreja (5.1 km), Poza del Río Blanco (0.6 km), Sitio Copelares (6 km), Crater Von Seebach (7.3 km) and Crater Rincón de la Vieja (7.7 km). A trail leading to Aguas Termales (6 km) continues as far as the Santa María administration office (8 km).
  The Santa María administration office is a former *casona* or homestead which used to belong to one of the largest ranches in the region and was used for cattle ranching and growing coffee and sugar cane. They often stage exhibitions. Several paths start from the *casona:* El Mirador (0.45 km), La Catarata del Bosque Encantado (1.1 km), Las Pailas de Agua Fría (1.8 km) and El Colibrí (1 km).

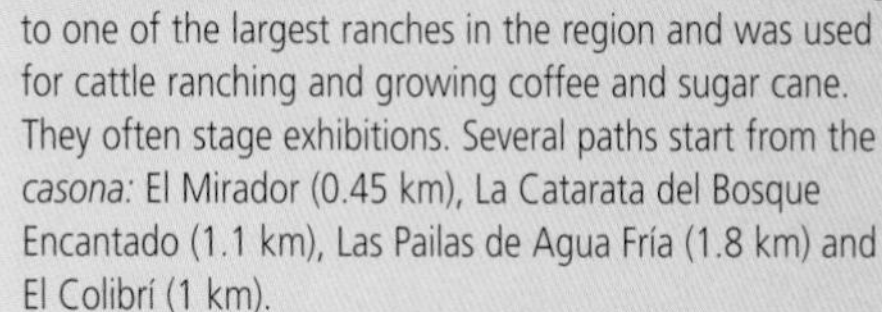

Guaria morada • (Guarianthe skinneri)

- **Accommodation:** alongside the Pailas administration office there is a camping site with tables, washrooms and drinking water, as there is at the Santa María administration office. In Liberia there is no shortage of hotels, while there are two hotels in the environs of the park.
- **Useful addresses:** for all information, contact the Pailas administration office, Tel.: (506) 661-8139; or the Área de Conservación Guanacaste (Guanacaste Conservation Area) on Tel.: (506) 666-5051; fax: (506) 666-5020; e-mail: acg@acguanacaste.ac.cr

PARQUE NACIONAL MARINO LAS BAULAS DE GUANACASTE

Jóvenes tortugas baulas • Young leatherback turtles

Creado en el año 1991, este parque nacional marino tiene una extensión de 379 hectáreas terrestres y 22.000 hectáreas marinas. Fue establecido para proteger una de las áreas más importantes del mundo para el desove de la tortuga marina baula *(Dermochelys coriacea).*

Manglar • Mangrove swamp

Las playas Grande, Ventana y Langosta, incluidas en el parque nacional constituyen en conjunto el cuarto sitio conocido más importante del mundo para el desove de la que actualmente es la mayor de los quelonios marinos.

El área terrestre protegida se encuentra rodeada de una serie de colinas del Complejo de Nicoya formadas por basaltos, brechas calizas e intrusiones básicas. De las tres playas principales, la mayor es la playa Grande, con más de 3 km de longitud y, cuando la marea está baja, entre el agua del mar y la primera vegetación litoral hay más de 70 metros. Durante las noches, de octubre a marzo de cada año acuden a ella para nidificar un importante número de tortugas baulas a las que acompañan también tortugas loras *(Lepidochelys olivacea)* y más raramente la verde del Pacífico o toras *(Chelonia agassizi)* y carey *(Eretmochelys imbricata).*

En el extenso manglar, que ocupa alrededor de las 400 hectáreas, se localizan las seis especies de mangle conocidas en la costa pacífica costarricense. El mangle rojo *(Rhizophora mangle)* es el más abundante de todos, formando grandes rodales casi

Playa Grande • Grande beach

LAS BAULAS DE GUANACASTE NATIONAL MARINE PARK

Playa Grande • Grande beach

Set up in 1991, this national marine park covers 379 hectares of land and 22,000 hectares of marine habitat. It was established to protect one of the most important laying sites in the world for the leatherback turtle *(Dermochelys coriacea)*. The Grande, Ventana and Langosta beaches in the national park together make up the fourth most important laying site in the world for what is currently the largest marine turtle of the Chelonia order.

The area of protected land is surrounded by the series of hills of the Nicoya Complex consisting of basalts, limestone breaches and basic intrusions. Of the three main beaches, the largest is Grande beach, which is over 3 km long, and at low tide, between the seawater and the first coastal vegetation there are over 70 meters. At night, from October to March each year a large number of Atlantic leatherbacks go there to nest, along with Pacific ridley turtles *(Lepidochelys olivacea)* and, more rarely, the Pacific green *(Chelonia agassizi)* and hawksbill or carey *(Eretmochelys imbricata)*.

The extensive mangrove swamp that occupies around 400 hectares contains the six

Manglar de Tamarindo • Tamarindo mangrove swamp

LA TORTUGA BAULA

La tortuga baula *(Dermochelys coriacea)*, también denominada tortuga laúd, siete filos y tortuga tinglada es el mayor de los quelonios vivientes, con una longitud de su caparazón que puede alcanzar los 190 cm y un peso medio que supera los 300 kilogramos. Además de por sus dimensiones se distingue del resto de las tortugas marinas por no tener en su caparazón placas bien diferenciadas y tener éste recubierto por una piel correosa con 7 patentes quillas longitudinales. Los machos se diferencian de las hembras por tener la cola más larga.

Es la más pelágica de las tortugas marinas, permaneciendo lejos de las costas durante largos períodos. Los machos no abandonan nunca el agua y las hembras sólo lo hacen para desovar. Puede recorrer hasta seis mil kilómetros desde las playas en las que nidifica hasta sus áreas de alimentación. La cópula se realiza en el mar. La hembra llega a las playas para desovar normalmente en las primeras horas de la noche, haciéndolo sólo excepcionalmente de día. Excavan un agujero en la arena de una profundidad aproximada de medio metro. Allí depositan entre 65 y 130 huevos esféricos de unos 55 milímetros de diámetro. La hembra tapa luego la puesta e intenta camuflar el nido removiendo sobre él grandes cantidades de tierra. Las hembras durante el período de incubación retornan para desovar a intervalos de 7 a 13 días, aunque no siempre a la misma playa.

El período de incubación oscila entre los 56 y los 72 días. Las eclosiones pueden tener lugar de día, pero la salida al exterior la realizan todos los recién nacidos juntos y siempre de noche. Su caminar hasta la orilla es toda una aventura ya que resultan una presa fácil para los predadores.

puros con ejemplares que superan los 30 metros de altura. La fauna en el manglar es diversa y abundante, habiéndose censado 57 especies de aves, entre ellas la bella espátula rosada *(Platalea ajaja)*, el corocoro blanco *(Eudocimus albus)*, la garza azulada *(Ardea herodias)* y el migratorio pato real *(Cairina moschata)*.

Los ruidosos monos congo *(Alouatta palliata)* ocupan el estrato arbóreodel manglar y entre sus raíces aéreas es fácil contemplar al mapachín *(Procyon lotor)* y al pizote *(Nasua narica)*. En el estero es habitual la presencia de los cocodrilos *(Crocodylus acutus)* y de los caimanes *(Caiman crocodylus)*, así como de numerosas especies de peces, entre

Cangrejo • Crab

Manglar • Mangove swamp

THE LEATHERBACK TURTLE

The leatherback turtle *(Dermochelys coriacea)*, which is known by various names in Spanish, is the largest living Chelonia turtle; its shell may measure up to 190 cm and average weight may exceed 300 kilograms. Besides its size, it can be distinguished from the rest of the marine turtles by the fact that its shell has no well-differentiated plaques and is covered in a leathery skin with 7 obvious longitudinal keels. The males can be differentiated from the females by their longer tails.

It is the most pelagic sea turtle as it stays far from the coast for long periods. The males never leave the water and the females only do so to lay. It may cover up to six thousand kilometers from the beaches where it nests to the feeding areas. It mates at sea. The female normally reaches the beaches to lay in the early hours, only laying in the daytime in exceptional circumstances. They excavate a hole in the sand about half a meter deep. There they lay between 65 and 130 spherical eggs about 55 millimeters in diameter. The female then covers the clutch and tries to camouflage the nest by scraping large amounts of sand over it. During the incubation period the females go back to lay at intervals from 7 to 13 days although not always on the same beach.

The incubation period varies between 56 and 72 days. Hatching may take place in the daytime, but the hatchling turtles emerge all at once and always at night. Their journey to the sea is quite a hazardous adventure as they are easy prey for predators.

Tortuga baula nidificando • Leatherback turtle nesting

species of mangrove known to occur on Costa Rica's Pacific coast. The red mangrove *(Rhizophora mangle)* is the most abundant of all, forming large almost pure tracts with specimens over 30 meters high. The wildlife in the mangrove swamp is diverse and abundant, with over 57 species of birds having been identified, including the lovely roseate spoonbill *(Platalea ajaja)*, white ibis *(Eudocimus albus)*, great blue heron *(Ardea herodias)* and the migratory muscovy duck *(Cairina moschata)*.

The noisy mantled howler monkeys *(Alouatta palliata)* occupy the tree stratum of the mangrove swamp, and among the aerial roots it is easy to spot raccoons *(Procyon lotor)* and white-nosed coati *(Nasua narica)*. In the water, crocodiles *(Crocodylus acutus)* and caimans *(Caiman crocodylus)* are common, as well as many species of fish, including white mullet *(Mugil curema)*, crevalle jack *(Caranx*

Espátula rosada • Roseate spoonbill

Playa Grande • Grande Beach

los que se encuentran las lisas *(Mugil curema)*, los jureles *(Caranx hippos)*, los róbalos *(Centropomus undecimalis)* y las rayas *(Dasyatis longus)*.

La primera línea de vegetación de playa está formada por una planta rastrera, el frijol de playa *(Sesuvium maritima)*, a la que siguen una serie de árboles y arbustos entre los que se encuentran el pochote *(Bombacopsis quinatum)*, la majagua *(Hibiscus tiliaceus)* y el manzanillo de playa *(Hippomane mancinella)*.

En estas bellas playas es fácil ver sobrevolar a los pelícanos pardos *(Pelecanus occidentalis)*, a los rabihorcados magníficos o tijeretas de mar *(Fregata magnificens)* y a diversas especies de gaviotas, entre ellas la guanaguanare *(Larus atricilla)*. En la arena de las playas se observan diversas especies de cangrejos como el tiguacal *(Cardisoma crassum)* y el ermitaño *(Coenobita compressus)*. Es frecuente también observar las inconfundibles huellas del león breñero *(Felis yaguaroundi)*, del manigordo *(Felis pardalis)* y del coyote *(Canis latrans)*.

INFORMACIONES PRÁCTICAS

- **Localización:** en la península de Nicoya, en la provincia de Guanacaste, en el cantón de Santa Cruz.
- **Accesos:** a la Administración se accede vía San José-Liberia-Guardia-Filadelfia-Santa Ana-Huacas-Playa Grande (286 km). También se puede acceder desde la ciudad de Nicoya vía Santa Cruz. Existen servicios de autobuses San José-Tamarindo y Liberia-Tamarindo.
- **Servicios:** existe un museo dedicado a las tortugas en las proximidades de la Administración. En la cercana población de Tamarindo se puede alquilar un bote para visitar el manglar. Para observar las tortugas es obligatorio inscribirse en un grupo dirigido por un guía autorizado.
- **Alojamiento:** en Tamarindo hay hoteles, pensiones, restaurantes y supermercados.
- **Direcciones de interés:** para cualquier tipo de información dirigirse a la Administración del parque, Telf./fax: (506) 653-0470; o a la oficina en Santa Cruz, Telf./fax: (506) 680-1820; e-mail: act@minae.go.cr

PRACTICAL INFORMATION

- **LOCATION:** on the Nicoya Peninsula, Guanacaste province, in the Santa Cruz district.
- **ACCESS.** Access to the administration office is via San José-Liberia-Guardia-Filadelfia-Santa Ana-Huacas-Playa Grande (286 km). Access is also possible from the city of Nicoya via Santa Cruz. There are bus services San José-Tamarindo and Liberia-Tamarindo.
- **SERVICES:** there is a turtle museum near the administration building. In the nearby town of Tamarindo boats can be hired for trips to the mangrove swamp. Turtle-watching tours are only possible in groups led by an authorized guide.
- **ACCOMMODATION:** in Tamarindo there are hotels, guest houses (*pensiones*), restaurants and supermarkets.
- **USEFUL ADDRESSES:** for all information, contact the park administration, Tel./fax: (506) 653-0470; or the office in Santa Cruz, Tel./fax: (506) 680-1820; e-mail: act@minae.go.cr

Huellas de tortuga • *Turtle trails*

Jóven tortuga • *Young turtle*

hippos), common snook *(Centropomus undecimalis)* and longtail stingray *(Dasyatis longus)*.

The first line of beach vegetation consists of a low ground plant, the slender sea purslane *(Sesuvium maritima)*, followed by a series of trees and shrubs that include the pochote *(Bombacopsis quinatum)*, majagua *(Hibiscus tiliaceus)* and manchineel *(Hippomane mancinella)*.

Pato criollo • *Muscovy duck*

Brown pelicans *(Pelecanus occidentalis)*, magnificent frigate birds *(Fregata magnificens)* and various species of gulls, such as the laughing gull *(Larus atricilla)*, can often be seen flying over these lovely beaches. Diverse species of crabs, such as the mouthless crab *(Cardisoma crassum)* and hermit crab *(Coenobita compressus)* can be seen on the sand. Neither it is rare to see the unmistakable tracks of the jaguarundi *(Felis yaguaroundi)*, ocelot *(Felis pardalis)* and coyote *(Canis latrans)*.

PARQUE NACIONAL BARRA HONDA

El Parque Nacional Barra Honda, con 2.297 hectáreas, fue creado en el año 1974 en la península de Nicoya, en el área denominada Bajuras del Tempisque. Se encuentra dominado por el cerro Barra Honda, que alcanza los 450 metros de altitud, constituido por depósitos de calizas arrecifales, con unos 60 millones de años de antigüedad, que emergieron a causa de un solevantamiento provocado por fallas.

De flancos escarpados, particularmente en su vertiente sur, es, por el contrario, casi llano en su cima. En ésta pueden observarse diversas manifestaciones de los fenómenos cársticos que se producen por la acción del agua sobre la roca caliza. En la cima del cerro pueden verse orificios

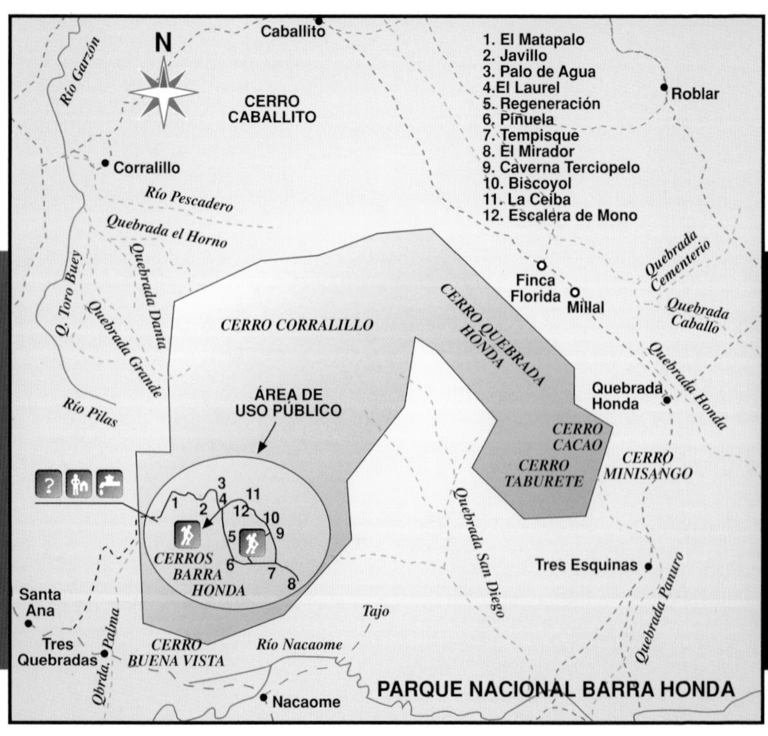

BARRA HONDA NATIONAL PARK

Bosque tropical • Tropical forest

Barra Honda National Park (2,297 hectares) was created in 1974 on the Nicoya Peninsula in the area known as Bajuras del Tempisque. It is overlooked by the 450-meter hill Barra Honda, which consists of limestone reef deposits around 60 million years old that emerged as the result of an upheaval caused by faults. With steep flanks, especially on the southern side, it is almost flat on top, where there are various examples of karst phenomena produced by water acting on limestone rock. The hilltop contains holes of different sizes, which are the entrances to the complex system of caves that has formed inside. There are also depressions known as dolines formed by cave roofs collapsing and the characteristic lapies formed by highly eroded rocks into capricious shapes and sharp edges.

The hill contains one of the most extensive known cave systems in Costa Rica. Of the forty caves, independent of each other, only half have so far been explored. The deepest is Santa Ana at 240 meters. La Terciopelo has the

Momoto cejiazul
Turquoise browed motmot

Cima del cerro • Hill top

Roble de sabana • Savannah oak

Indio desnudo • Gumbo-limbo

de diferentes tamaños que constituyen las entradas al complejo sistema de cavernas que ha ido desarrollándose en sus entrañas; depresiones conocidas con el nombre de "dolinas", formadas por el derrumbe del techo de alguna caverna, y los característicos "lapiazes", constituidos por rocas muy erosionadas de formas caprichosas y cortantes filos.

El cerro contiene uno de los más amplios sistemas de cavernas conocidos en Costa Rica, formado por unas cuarenta cavernas independientes unas de otras de las que hasta hoy sólo se han explorado la mitad. La más profunda es la de Santa Ana, con 240 metros. La Terciopelo es la que posee mayor abundancia de espeleotemas; una de estas figuras de calcita se la conoce con el nombre de

LA FORMACIÓN DE LAS CAVERNAS

La acción del agua sobre la roca caliza se encuentra en el origen de la formación de las cavernas. La lluvia penetra por las fisuras de la roca y por un proceso de erosión agranda dichas fisuras, lo que facilita que el agua pueda penetrar en mayor cantidad en el interior de la roca. Al mismo tiempo se produce un fenómeno químico, el de la corrosión. El agua, al mezclarse con el CO2 (dióxido de carbono) presente en el aire y en el suelo forma ácido carbónico.

El ácido carbónico (H2CO3) actúa sobre el carbonato de calcio o calcita (Ca CO3), que es el mineral que constituye las rocas calizas, disolviendo entre 50 a 60 mg de carbonato de calcio por litro de agua de lluvia, convirtiéndose en bicarbonato de calcio, que es bastante soluble en el agua. De esta manera la caliza sale de la roca dejando vacío el lugar que ocupaba.

Pero esta reacción química es reversible y es la que origina las formaciones calizas que adornan techos, paredes y suelos de las cavernas, conocidas generalmente como espeleotemas, entre los que destacan las estalactitas (que cuelgan del techo) y las estalagmitas (que crecen del suelo hacia arriba). En estos casos, cuando el agua alcanza una cámara que tiene aire, ésta se evapora, el dióxido de carbono se escapa y el carbonato de calcio se deposita.

Caverna • Cave

most speleothems; one of these calcite figures is known by the name of El Órgano because it produces diverse notes when struck gently. La Trampa has the deepest precipice, with a vertical drop of 52 meters, and the largest chambers, one of which is made of calcite that is dazzlingly beautiful in its pure whiteness. La Pozo Hediondo owes its name to the pungent smell of bat guano, it being the only cave with a large bat colony. In La Nicoa, which has three entrances, a large number of human remains and various utensils have been

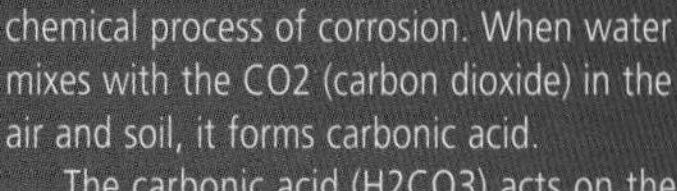

Momoto cejiazul • *Turquoise-browed motmot*

Corteza amarilla • *Yellow cortez tree*

HOW THE CAVES WERE FORMED

The caves originally formed as the result of the action of water on limestone rock. The rain penetrates the rock fissures and enlarges them by erosion, thus facilitating the penetration of larger amounts of water into the rock. At the same time there is a chemical process of corrosion. When water mixes with the CO2 (carbon dioxide) in the air and soil, it forms carbonic acid.

The carbonic acid (H2CO3) acts on the calcium carbonate or calcite (Ca CO3), the mineral that makes up limestone, dissolving between 50-60 mg. of calcium carbonate per liter of rainwater, making it into calcium bicarbonate, which is quite soluble in water. In this way limestone leaches out of the rock leaving empty spaces behind.

The reversible nature of this chemical reaction is what gives rise to the limestone formations adorning cave roofs, walls and floors, generally known as speleothems, including stalactites (hanging down from the roof) and stalagmites (rising from the floor). In such cases, when the water reaches a chamber containing air, the water evaporates, carbon dioxide escapes and calcium carbonate is deposited.

INFORMACIONES PRÁCTICAS

- **Localización:** en la provincia de Guanacaste, 22 kilómetros al noreste de la ciudad de Nicoya.
- **Accesos:** dos rutas principales conducen a la Administración, situada al pie del cerro Barra Honda: desde la ciudad de Nicoya-Pueblo Viejo-Nacaome-Administración (22 km), o la ruta del río Tempisque, que pasa por Puerto Moreno-Quebrada Honda-Nacaome-Administración (21 km). Ambas están pavimentadas hasta Nacaome. Existe un servicio de autobuses Nicoya-Nacaome.
- **Servicios:** el parque está abierto de 8.00 a.m. a 16.00 p.m. La visita a la gruta del Terciopelo (sólo con guías) se hace desde las 7 de la mañana a la 1 de la tarde. Junto a la Administración existe un área para acampar con agua potable y electricidad. Un sendero principal conduce a la cima del cerro con desviaciones al Mirador y a la entrada de las principales cavernas. Hay también senderos a La Cascada, Los Mesones y el Bosque de las Piedras.
- **Alojamiento:** a la entrada del parque hay un restaurante y cabinas para alojarse. En Nicoya se encuentran hoteles, restaurantes y supermercados.
- **Direcciones de interés:** para cualquier información dirigirse a las Oficinas de la Subregional de Nicoya, Telf./fax: (506) 659-1551. Para contratar el servicio de guías para visitar las cavernas hay que hacerlo con un día de anticipación, e-mail: jicaro@minae.go.cr

El Órgano, porque emite diversos tonos cuando se la golpea suavemente. La Trampa es la que presenta el precipicio más profundo, con una caída vertical de 52 metros, y la que posee las salas de mayores dimensiones, una de las cuales está formada por calcita de un purísimo color blanco de una deslumbrante belleza. La Pozo Hediondo debe su nombre al penetrante olor que produce el guano de los murciélagos, ya que es la única caverna que posee una abundante colonia de estos mamíferos. En la Nicoa, que tiene tres entradas, se han descubierto gran cantidad de restos humanos y diversos utensilios, así como adornos indígenas precolombinos.

El bosque tropical tapiza una gran parte del área protegida, cuyas especies más comunes son, entre otras, el jobo *(Spondias mombin)*, el ron-ron *(Astronium graveolens)*, el guanacaste *(Enterolobium cyclocarpum)* y el indio desnudo *(Bursera simaruba)*. Entre los mamíferos que viven en el parque están el mono carablanca *(Cebus capucinus)*, el venado colablanca *(Odocoileus virginianus)*, el pizote *(Nasua narica)* y el zorro pelón *(Didelphis marsupialis)*. Allí pueden observarse aves como la urraca copetona *(Calocitta formosa)*, la aratinga frenti-naranja o zapoyol *(Aratinga canicularis)*, el aura gallipavo *(Cathartes aura)* y el pájaro bobo o momoto cejiazul *(Eumomota superciliosa)*.

Además de sus interesantes cavernas existen en el parque nacional tres áreas de un especial interés: El Mirador, situado en el borde sur de la cima, desde el que en una amplia panorámica se domina una gran parte del golfo de Nicoya. El área conocida como Los Mesones, de más de 290 hectáreas, en la que crece un bosque siempreverde de gran altura y en la que nacen diversos manantiales que proporcionan el agua a varios pueblos vecinos. Y, La Cascada, en la que existen bellísimos depósitos escalonados de tufa calcárea que forman una espectacular cascada.

Cerro Barra Honda • Barra Honda Hill

PRACTICAL INFORMATION

- **Location:** in Guanacaste province, 22 kilometers north-east of Nicoya city.
- **Access:** two main routes lead to the administration offices at the foot of Barra Honda Hill: from Nicoya city-Pueblo Viejo-Nacaome-Administration (22 km) or the route of Tempisque river, which goes via Puerto Moreno-Quebrada Honda-Nacaome-Administration (21 km). Both are asphalted as far as Nacaome. There is a bus service Nicoya-Nacaome.
- **Services:** the park is open from 08.00 to 16.00. Cave visiting at El Terciopelo (only guided tours) takes place from 07.00 to 13.00. Next to the administration building there is a camp site with drinking water and electricity. The main trail leads to the top of the hill, with diversions to El Mirador and to the entrance to the main caves. There are also trails to La Cascada, Los Mesones and El Bosque de las Piedras.
- **Accommodation:** at the park entrance there is a restaurant and cabins. In Nicoya there are hotels, restaurants and supermarkets.
- **Useful addresses:** for information, contact the offices of the Subregional de Nicoya, Tel./fax: (506) 659-1551. Hiring guides for cave visits must be arranged one day in advance, e-mail: jicaro@minae.go.cr

found, besides pre-Colombian Indian adornments.

Tropical forest covers a large part of the protected area whose most common species include the jobo *(Spondias mombin)*, Goncalo alves *(Astronium graveolens)*, guanacaste *(Enterolobium cyclocarpum)* and gumbo limbo *(Bursera simaruba)*. Among the park's mammals are white-faced capuchins *(Cebus capucinus)*, White-tail deer *(Odocoileus virginianus)*, white-nosed coati *(Nasua narica)* and common opossum *(Didelphis marsupialis)*. Birds such as white-throated magpie-jay *(Calocitta formosa)*, orange-fronted conure *(Aratinga canicularis)*, turkey vulture *(Cathartes aura)* and the turquoise-browed motmot *(Eumomota superciliosa)* can also be spotted.

Besides the fascinating caves, the national park has three particularly interesting areas. One is El Mirador on the southern border of the peak, which, in a broad panoramic sweep, takes in most of the Gulf of Nicoya. The area known as Los Mesones covering more than 290 hectares contains a tall evergreen forest where various springs rise that supply water to several nearby towns. Finally, there is La Cascada, with its stunning deposits of staggered calcareous tuff that form a spectacular waterfall.

Entrada a la caverna • *Cave entrance*

Aura gallipavo • *Turkey vulture*

PARQUE NACIONAL DIRIÁ

Iguana • Iguana

El Parque Nacional Diriá, creado en 2004, con una extensión de 5.426 hectáreas, protege las cuencas de los ríos Diriá, Enmedio, Verde y Tigre, que suministran agua potable para la ciudad de Santa Cruz y poblaciones vecinas. Se trata de una de las zonas más altas de la península de Nicoya con altitudes que oscilan entre los 120 y los 980 metros sobre el nivel del mar.

En el área protegida se conservan los únicos remanentes de bosque tropical nuboso que antaño se extendía por las partes más altas de la península. Son importantes los bosques secos y bosques de galería, encontrándose también charrales y tacotales.

Entre los árboles más comunes se encuentran el ronron *(Astronium graveolens)*, el tempisque *(Sideroxylum capiri)*, el ceiba *(Ceiba pentandra)*, el guapinol *(Hymeanea courbaril)* y el cedro amargo *(Cedrela odorata)*. Tres especies en peligro de extinción también están presentes: el cocolobo *(Dalbergia retusa)*, el cedro *Cedrela salvadorensis* y el chaperno *(Lonchocarpus phaseolipholius)*.

Entre los endemismos botánicos más interesantes se encuentra la bromelia *Pitcarnia calcicola*, que únicamente se localiza en la península de Nicoya, y un cardón

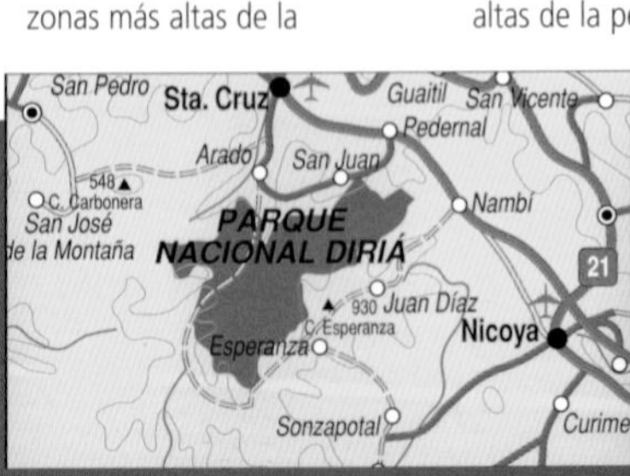

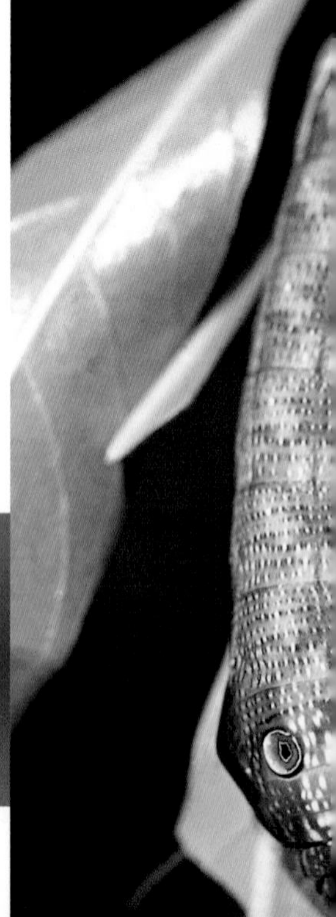

DIRIÁ NATIONAL PARK

Diriá National Park, created in 2004 over 5,426 hectares, protects the basins of the rivers Diriá, Enmedio, Verde and Tigre, which supply the city of Santa Cruz and nearby towns with drinking water. It is one of the highest parts of the Nicoya Peninsula, with altitudes ranging between 120 and 980 metres above sea level.

The protected area conserves the last remnants of tropical cloud forest that once extended across the uppermost reaches of the Peninsula. There are important dry forests and tracts of gallery forest, as well as charrales and tacotales.

The most common trees include Goncalo alves *(Astronium graveolens)*, tempisque *(Sideroxylum capiri)*, silk cotton tree *(Ceiba pentandra)*, guapinol *(Hymeanea courbaril)* and Barbadoes cedar *(Cedrela odorata)*. Three threatened species also found there are the rosewood *(Dalbergia retusa)*, the cedar *Cedrela salvadorensis* and chaperno *(Lonchocarpus phaseolipholius)*.

The most interesting endemic species

Pizote • White-nosed coati

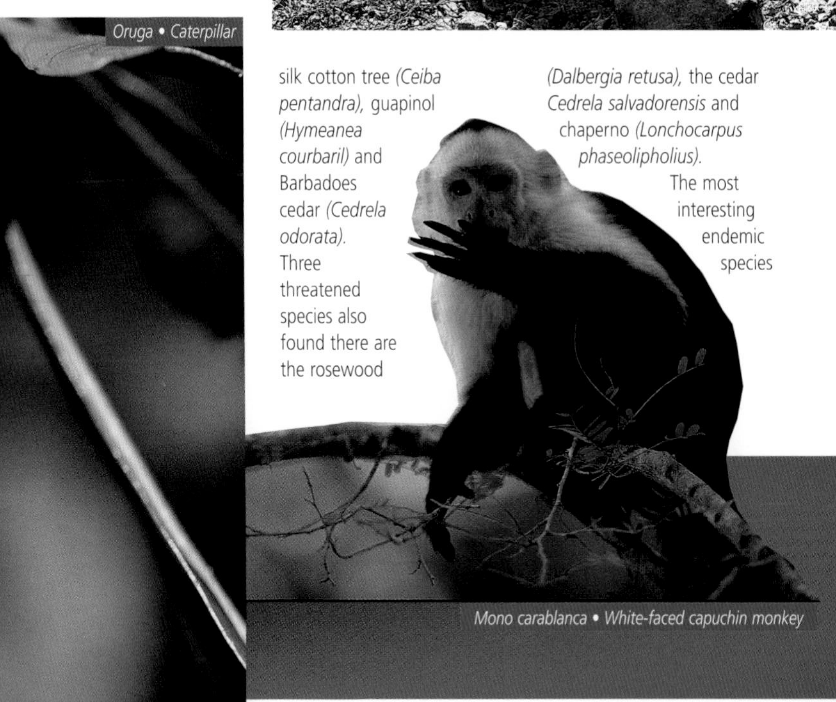

Oruga • Caterpillar

Mono carablanca • White-faced capuchin monkey

EL CORNIZUELO

El cornizuelo *(Acacia collinsii)* es un arbusto muy común en Curú. Presenta un interesante fenómeno de simbiosis con hormigas que viven en sus espinas huecas y que pertenecen al género *Pseudomyrmex*, principalmente a la especie *P. ferruginea* conocida popularmente como la hormiga del cornizuelo.

Las reinas vírgenes aladas de estas hormigas, antes del amanecer, vuelan a un lugar alto, como la copa de un árbol, donde se posan y liberan la feromona que atraerá a los machos. Tras aparearse se tira del árbol, liberándose en vuelo del macho. Al llegar a tierra, se come sus alas y caminando busca un cornizuelo desocupado. Cuando encuentra una espina tierna, hace un hueco y la vacía. Pone allí sus primeros huevos y cría las primeras obreras que se encargan de matar o desalojar a otras reinas que intentan ocupar la planta. Una colonia comienza a producir machos un año después de su fundación y a los dos años aparecen las primeras vírgenes. Al comienzo de la época de lluvias una colonia adulta puede tener entre 10.000 y 15.000 obreras, 2.000 machos, 1.000 reinas y unas 50.000 larvas.

La interacción entre planta y hormiga consiste en que estas últimas son muy agresivas, evitando que el arbusto sea comido por insectos o por vertebrados trepadores. Incluso el ganado evita comer cornizuelo tanto de día como de noche. Además, las hormigas matan cualquier tipo de vegetación que toque o se encuentre muy cerca de la planta, en un círculo que puede oscilar entre el metro y los cuatro metros de diámetro.

Por su parte el arbusto, cuyas semillas son dispersadas por aves y murciélagos, les suministra sus espinas huecas para vivir y les ofrece para alimentarse los apetecidos corpúsculos de Belti, de color naranja, que crecen en los extremos de las hojuelas, además de sus sustancias azucaradas que se producen en los nectarios, localizados en los pecíolos de las hojas.

Stenocereus aragonii, un cacto candelabriforme, endémico de Costa Rica que puede alcanzar los ocho metros de altura.

Los vertebrados son también abundantes en el parque nacional. Se han censado seis especies de ranas, diez especies de lagartijas y cuatro especies de serpientes, entre ellas la boa constrictora *(Boa constrictor)* y la venenosa cascabel del Pacífico *(Lachesis muta)*. Más de ciento noventa especies de aves viven en estos bosques. Destacan por su importancia conservacionista cinco especies amenazadas a escala regional: el zopilote rey *(Sarcoramphus papa)*, la pava cojolita *(Penelope purpurascens)*, la espátula rosada *(Platalea ajaja)*, la amazona frentialba *(Amazona albifrons)* y la catita churica *(Brotogeris jugularis)*.

Se han censado 32 especies de mamíferos en el área protegida, de las que 17 son murciélagos. Las especies

Caracara carancho • Crested caracara

THE SWOLLEN THORN OR BULL HORN ACACIA

The bull horn acacia *(Acacia collinsii)* is an extremely common shrub in Curú. It is the focal point of an interesting symbiotic phenomenon involving the ants that live in its hollow spines. These ants belonging to the genus *Pseudomyrmex* and mainly of the species *P. ferruginea* are commonly known as acacia ants.

Before sunrise, the winged virgin queens fly up to a convenient spot high above the ground such as the top of a tree. Once there, they display and in the process give off the pheromone that will attract the males. Having mated, the queen then takes off from the tree, shaking the male off whilst in flight. On reaching the ground, she eats her own wings before going off in search of an unoccupied bull horn acacia shrub. When she finds a tender spine, she makes an opening and hollows it out. There she lays her first eggs and raises the first workers whose task it is to kill or evict other queens who try to occupy the plant. A colony begins to produce males a year after it is established, and after two years the first virgin queens appear. At the onset of the rainy season a mature colony may contain between 10,000 and 15,000 workers, 2,000 males, 1,000 queens and around 50,000 larvae.

The symbiotic relationship between plant and ant is based on the latter being extremely aggressive and thereby preventing the shrub from being eaten by other insects or climbing vertebrates. Even domestic livestock avoids feeding on bull horn acacia by day or night. Furthermore, the ants kill off any type of vegetation that touches the host plant or grows in its immediate vicinity, creating, in the process, a circle of open ground, the diameter of which varies from one to four meters.

For its part, the shrub, the seeds of which are distributed by birds and bats, provides the ants with hollow spines in which to live and offers them not only the appetizing, orange-colored Belti corpuscles that grow on the edges of the small leaves, but also a sugary substance that the plant produces in nectar glands situated in its leafstalks.

include the bromeliad *Pitcarnia calcicola,* which only occurs on the Nicoya Peninsula, and *Stenocereus aragonii,* a candalabra-shaped cactus endemic to Costa Rica which can grow up to eight meters high.

Mono congo • Mantled howler monkey

There are also large numbers of vertebrates in the national park. Six species of frog, ten lizard species and four snakes, including the boa constrictor *(Boa constrictor)* and poisonous bushmaster *(Lachesis muta),* have been recorded. Over one hundred and ninety species of birds live in these forests.

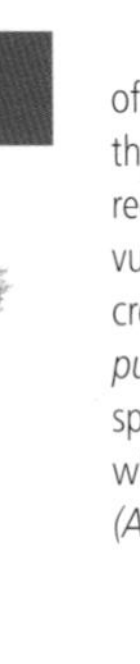

Picamaderos listado • Lineated woodpecker

From a conservation point of view, five regionally threatened species are regarded as important: king vulture *(Sarcoramphus papa),* crested guan *(Penelope purpurascens),* roseate spoonbill *(Platalea ajaja),* white-fronted parrot *(Amazona albifrons)* and

Venado cola blanca • White-tailed deeer

INFORMACIONES PRÁCTICAS

- **Localización:** en el centro-norte de la península de Nicoya, en las comunidades de Arado y Vista al Mar, 14 kilómetros al sur de la ciudad de Santa Cruz.
- **Accesos:** desde la ciudad de Santa Cruz, una carretera asfaltada conduce hasta la población de Arado. Desde allí, un camino lastrado de unos 7 kilómetros lleva a La Casona, el centro de recepción de los visitantes.
- **Servicios:** el parque cuenta con espacios acondicionados para la acampada, con agua potable y servicios sanitarios. Existen tres senderos establecidos: El Espavel, de apenas un kilómetro; El Venado, de más de dos kilómetros y el de la catarata El Brasil, situada a 45 minutos de La Casona.
- **Alojamiento:** en la cercana ciudad de Santa Cruz existen hoteles y todo tipo de servicios.
- **Direcciones de interés:** para una mayor información llamar al Telf.: (506) 375-9125; e-mail: roxana.pizarro@sinal.go.cr

de más fácil observación son el mono congo *(Alouatta palliata)*, el mono carablanca *(Cebus capucinus)*, el venado colablanca *(Odoicoleus virginianus)*, los osos colmeneros *(Tamandua mexicana)*, los pizotes *(Nasua narica)* y el saíno *(Pecari tajacu)*.

Además de sus bellezas paisajísticas, entre las que sobresale la cascada Brasil, situada en la quebrada del mismo nombre, en el interior del parque nacional se encuentran restos arqueológicos de asentamientos indígenas precolombinos que formaban parte del cacicazgo de Diriá.

orange-chinned parakeet *(Brotogeris jugularis)*.

Thirty two species of mammals have been recorded in the protected area, of which 17 are bats. The easiest to spot are mantled howler monkeys *(Alouatta palliata)*, white-faced capuchin *(Cebus capucinus)*, white-tailed deer *(Odoicoleus virginianus)*, tamandua *(Tamandua mexicana)*, white-nosed coati *(Nasua narica)* and collared peccary *(Pecari tajacu)*.

Besides the delights of the landscape, such as the Brazil Waterfall, the creek of the same name in the national park harbours archaeological remains of pre-Colombian Native settlements which were once part of the Diriá *cacicazgo* (area ruled over by a local chieftain).

PRACTICAL INFORMATION

- **Location:** in the centre-north of the Nicoya Peninsula in the Arado and Vista al Mar districts, 14 kilometers south of the city of Santa Cruz.
- **Access:** from Santa Cruz a tarmac road leads to the town of Arado. From there, a dirt road covers the 7 kilometers to La Casona, the visitor reception center.
- **Services:** the park has areas for camping with drinking water and healthcare facilities. There are three paths: El Espavel, just under one kilometer long; El Venado, over two kilometers and the El Brasil Waterfall Path, 45 minutes from La Casona.
- **Accommodation:** in the nearby city of Santa Cruz there are hotels and all kinds of services.
- **Useful addresses:** for further information call Tel. (506) 375-9125; e-mail: roxana.pizarro@sinal.go.cr

Halcón reidor • Laughing falcon

Bosque seco • Dry forest

REFUGIO NACIONAL DE VIDA SILVESTRE OSTIONAL

El Refugio de Vida Silvestre Ostional, en la costa occidental de la península de Nicoya, fue creado en el año 1983 con una extensión de 352 hectáreas terrestres y 8.000 hectáreas marinas. Su importancia reside en que su extensa playa Ostional, junto con la playa Nancite en el Parque Nacional Santa Rosa, constituyen las dos áreas más importantes del mundo para el

Bosque mixto • Mixed forest

Afloramientos basálticos • Outcrops of aphiolitic basalts

desove de la tortuga marina lora *(Lepidochelys olivacea)*.

La zona habitual de desove se extiende a lo largo de unos 900 metros entre el estero del río Ostional que corre en parte paralelo a la playa y una punta rocosa que se adentra en el mar. Durante los meses de julio a noviembre tienen lugar las grandes arribadas de tortugas que habitualmente se producen durante la noche y preferentemente en el cuarto menguante de la luna. Ocasionalmente también desovan aquí la tortuga baula *(Dermochelys coriacea)* y la tortuga verde del Pacífico *(Chelonia agassizi)*.

El refugio se extiende desde Punta India, al norte, y Punta Guiones, al sur. Su geología es muy interesante ya que en su costa rocosa se observan afloramientos de basaltos afiolíticos de unos 80 millones de años de antigüedad y terrazas planas que evidencian los levantamientos tectónicos que tuvieron lugar durante los últimos mil años. El área cercana a Punta India es rocosa y presenta una gran cantidad de charcas de marea

OSTIONAL NATIONAL WILDLIFE REFUGE

Cangrejo • Crab

Ostional Wildlife Refuge on the western coast of the Nicoya Peninsula was set up in 1983 on 352 hectares of land and 8,000 hectares of marine habitat. Its importance lies in the fact that extensive Ostional Beach and Nancite Beach in Santa Rosa National Park are the two most important laying sites in the world for Pacific ridley turtles *(Lepidochelys olivacea).*

The normal laying site extends around 900 meters between the mouth of the River Ostional, which runs partly parallel to the beach, and a rocky point jutting out into the sea. In July and November, large numbers of turtles haul out on the beach usually at night and especially during the last quarter of the moon. Leatherback turtles *(Dermochelys coriacea)* and Pacific green turtles *(Chelonia agassizi)* also occasionally lay there.

Iguana • Iguana

Cactus • Cacti

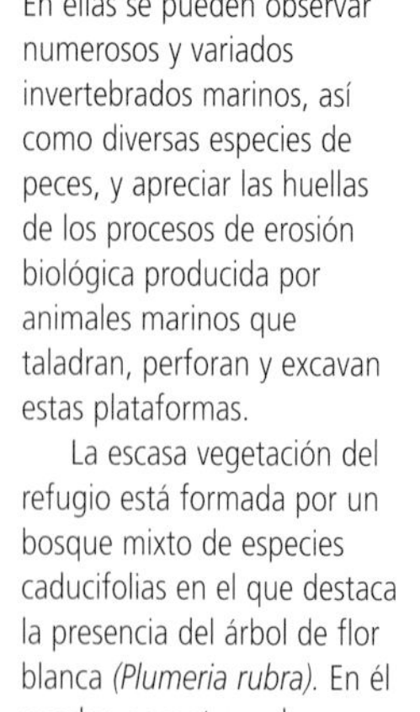

que se forman a lo largo de extensas plataformas de abrasión, denominadas también caletas, que han ido emergiendo paulatinamente. En ellas se pueden observar numerosos y variados invertebrados marinos, así como diversas especies de peces, y apreciar las huellas de los procesos de erosión biológica producida por animales marinos que taladran, perforan y excavan estas plataformas.

La escasa vegetación del refugio está formada por un bosque mixto de especies caducifolias en el que destaca la presencia del árbol de flor blanca *(Plumeria rubra)*. En él pueden encontrarse los monos congo *(Alouatta palliata)*, los monos carablanca *(Cebus*

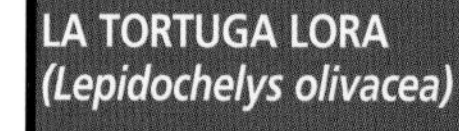

LA TORTUGA LORA *(Lepidochelys olivacea)*

Es la más pequeña de las tortugas marinas, con un peso entre 35 y 45 kg y un espaldar de unos 75 cm. El caparazón y la parte superior de la cabeza y extremidades presentan una coloración verde oliva (de ahí su nombre específico). Una característica morfológica importante es que posee poros glandulares en las placas inframarginales.

Esta especie recibe otros nombres como "carpintera" en el noroeste de la provincia de Guanacaste, "paslama" en Guatemala y Nicaragua, y "golfina" en México. La tortuga lora vive cerca de la costa, aunque también se suele encontrar en alta mar. Se alimenta de algas, camarones, cangrejos, medusas, tunicados y huevos de peces. La cópula tiene lugar en el agua, tras la cual las hembras se dirigen a las playas para realizar la puesta. La nidificación la realizan entre julio y noviembre, pero las grandes arribadas con miles de ejemplares tienen lugar sobre todo en los meses de septiembre y octubre y preferentemente por la noche, sobre todo en el cuarto menguante de luna y también en el cuarto creciente. En 10 o 12 minutos la hembra excava un agujero en la arena con una profundidad media de cincuenta centímetros, en el que deposita en torno a unos 100 huevos a lo largo de 15 minutos. Una vez realizada la puesta tapa con arena el nido y lo camufla. El período de incubación dura unos dos meses, tras el cual las tortuguitas salen del huevo y en una peligrosa carrera, por la abundancia de predadores que las esperan, intentan alcanzar el mar.

A pesar de los cientos de miles de huevos que se depositan sólo se consigue que el 5% de las tortuguitas que nacen alcancen la madurez. Por un lado están los depredadores de huevos como los pizotes, mapaches y coyotes, algunos buitres, garrobos y cangrejos. Nada más nacer son presa fácil para las aves marinas en su penosa carrera hacia el mar y ya en él las propias aves marinas y los numerosos peces carnívoros encuentran en las jóvenes tortuguitas una fácil presa.

Costa • Coast

Manglar • Mangrove swamp

THE PACIFIC RIDLEY TURTLE *(Lepidochelys olivacea)*

Weighing between 35 and 45 kg it is the smallest of the marine turtles, and has a back plate measuring about 75 cm. The shell and upper part of the head and extremities are an olive green color (hence the species name). One important morphological characteristic is that it possesses glandular pores on inframarginal plates.

This species is known in Spanish as 'carpintera' in the northwest of Guanacaste province, 'paslama' in Guatemala and Nicaragua and 'golfina' in Mexico. The Pacific ridley turtle lives near the coast although it is also found out at sea. It feeds on algae, shrimps, crabs, jellyfish, tunicates and fish eggs. After mating in the water, the females make for the beaches to lay. Nesting is between July and November, but the large-scale hauling out of thousands of turtles takes place above all in September and October and preferably at night, above all in the last phase of the moon and the first quarter. In 10 or 12 minutes the female makes a hole in the sand to an average depth of fifty centimeters, where it lays around 100 eggs over a period of 15 minutes. Once the laying has finished, she covers the clutch with sand to camouflage it. The incubation period lasts about two months and then the baby turtles hatch and try to reach the sea on a journey that is fraught with dangers in the form of stalking predators.

In spite of the thousands of eggs laid, only 5% of the baby turtles that hatch reach adulthood. Predators, such as coatis, raccoons and coyotes, some vultures, iguanas and crabs, eat the eggs. As soon as they hatch they make their arduous journey to the sea and are easily picked off by seabirds. Once in the sea, seabirds and the many carnivorous fish find the young turtles easy prey.

Tortuga lora • Pacific ridley turtle

The refuge stretches from Punta India in the north to Punta Guiones in the south. It is very interesting in geological terms as its rocky coastline includes outcrops of ophiolitic basalts some 80 million years old and flat terraces that testify to tectonic upheavals over the last thousand years. The area close to Punta India is rocky and presents a large number of tidal pools, which form over extensive abrasion shelves that have emerged gradually. They contain many and varied marine invertebrates, diverse fish species, and there are evident signs of the processes of biological erosion caused by marine animals boring into and excavating the shelves.

The scarce vegetation of the refuge consists of a mixed forest of deciduous species, which include the frangipani *(Plumeria rubra).* It is the home of mantled howler monkey *(Alouatta palliata),* white-faced capuchins *(Cebus capucinus),*

Cactáceas • Cacti

Cormorán biguá • Neotropic cormorant

capucinus), la ardilla o chiza *(Sciurus variegatoides)*, el pizote *(Nasua narica)* y la martilla *(Potus flavus)*. Tanto en estos parches de bosque como en la vegetación arbustiva formada por cactáceas y otras plantas suculentas en las proximidades de la playa, son abundantes los garrobos *(Ctenosaura similis)* y los basiliscos o gallegos *(Basiliscus basiliscus)*.

Al sureste del refugio, en la desembocadura del río Nosara existe un manglar de considerables dimensiones bordeado por colinas de rocas sedimentarias de unos 60 a 70 millones de años de antigüedad. Allí se han identificado más de un centenar de especies de aves como el pelícano alcatraz o buchón *(Pelecanus occidentalis)*, la tijereta de mar *(Fregata magnificens)*, el cormorán biguá *(Phalacrocorax brasilianus)*, el tántalo americano *(Mycteria americana)* y la amazona frentialba *(Amazona albifrons)*. En la playa puede observarse al ostrero americano *(Haematopus palliatus)*, la pagaza real *(Sterna maximus)*, y la gaviota de Sabine *(Xema sabini)* .

INFORMACIONES PRÁCTICAS

- **Localización:** en la provincia de Guanacaste, 50 kilómetros al suroeste de la ciudad de Nicoya, en la costa occidental de la península del mismo nombre.
- **Accesos:** desde Nicoya por ruta lastrada y de tierra pasando por Curime-Gamalotal-Virginia-Guastomatal-Nosara-Ostional. Debido a que hay que atravesar el río Nosara es necesario utilizar vehículos todo-terreno.
- **Servicios:** no existen facilidades especiales para el visitante. En el refugio se realiza un programa controlado de recolección de los huevos de tortuga durante las primeras arribadas de las loras, supervisado por el Ministerio de Ambiente y Energía.
- **Alojamiento:** en las cercanías del refugio existen hoteles, pensiones y restaurantes.
- **Direcciones de interés:** para cualquier información sobre este refugio solicitarla a los Telfs.: (506) 682-0937, (506) 682-0400; e-mail: act@minae.go.cr

PRACTICAL INFORMATION

- **Location:** in Guanacaste province, 50 kilometers south-west of Nicoya city, on the western coast of the peninsula of the same name.
- **Access:** from Nicoya along the paved road and dirt track that goes through Curime-Gamalotal-Virginia-Guastomatal-Nosara-Ostional. Four-wheel-drive vehicles are required as the route crosses the River Nosara.
- **Services:** there are no special facilities for visitors. In the refuge there is a monitored turtle egg collection program for when the first Pacific ridley turtles haul out. It is supervised by the Ministry of the Environment and Energy.
- **Accommodation:** in the vicinity of the refuge there are hotels, guest houses (*pensiones*) and restaurants.
- **Useful addresses:** for further information about the refuge, contact on Tels.: (506) 682-0937, (506) 682-0400; e-mail: act@minae.go.cr

Huellas de tortuga • Turtle trails

the squirrel *(Sciurus variegatoides)*, white-nosed coati *(Nasua narica)* and kinkajou *(Potus flavus)*. Both in these patches of forest and in the shrubby vegetation made up of cacti and other succulents in the vicinity of the beach there are lots of spiny-tailed iguanas *(Ctenosaura similis)* and common basilisks *(Basiliscus basiliscus)*.

South-east of the refuge at the mouth of the River Nosara there is a large mangrove swamp bordered by hills of sedimentary rocks some 60 to 70 million years old. Over a hundred species of birds have been identified there such as the brown pelican *(Pelecanus occidentalis)*, magnificent frigate bird *(Fregata magnificens)*, Neotropic cormorant *(Phalacrocorax brasilianus)*, wood stork *(Mycteria americana)* and white-fronted parrot *(Amazona albifrons)*. On the beach there are American oystercatchers *(Haematopus palliatus)*, royal terns *(Sterna maximus)*, and Sabine's gulls *(Xema sabini)*.

Ostrero americano • American oystercatcher

RESERVAS BIOLÓGICAS ISLAS GUAYABO, NEGRITOS Y LOS PÁJAROS

Isla Negritos • Negritos Island

Situadas en el golfo de Nicoya, la Reserva Biológica de Guayabo (6 ha) y la Reserva Biológica Negritos (142 ha) fueron creadas simultáneamente el año 1973. En el año 1976 se creó la Reserva Biológica Isla de los Pájaros (3,8 ha).

La isla Guayabo es un imponente bloque de estratos de rocas sedimentarias con una antigüedad entre 60 y 80 millones de años. De forma romboidal alcanza los 50 metros de altura.

Tiene un difícil acceso a través de una playa de guijarros, producto de un antiguo derrumbe. El resto de su entorno lo constituyen altos farallones. La vegetación que la tapiza está formada por arbustos y plantas pequeñas que apenas sobrepasan el

Isla Negritos • Negritos Island

GUAYABO, NEGRITOS AND LOS PÁJAROS ISLANDS BIOLOGICAL RESERVES

Isla Guayabo • Guayabo Island

Situated in the Gulf of Nicoya, Guayabo Biological Reserve (6 ha) and Negritos Biological Reserve (142 ha) were created simultaneously in 1973. In 1976 Isla de los Pájaros Biological Reserve was set up (3.8 ha). Guayabo Island is an impressive rhomboid-shaped block of sedimentary rock strata between 60 and 80

LA NIDIFICACIÓN DEL PELÍCANO ALCATRAZ

El pelícano alcatraz *(Pelecanus occidentalis)* está presente todo el año en la costa pacífica costarricense. No se conocen colonias de cría en la costa atlántica. En la isla Guayabo se localiza la mayor de las cuatro áreas de nidificación de esta especie que se conocen en el país con una población que oscila entre las 200 y las 300 parejas reproductoras, población que puede sufrir una variación anual significativa.

Durante la época de reproducción este enorme pájaro modifica su aspecto general ya que el cuello se ennegrece, la cresta nucal se vuelve castaña, mientras que las plumas de la cabeza se visten con una tonalidad amarillenta. La piel alrededor de los ojos se torna rojiza y el pico adquiere un tinte rosáceo.

Tanto el macho como la hembra construyen el nido. Se trata de una plataforma circular de reducidas dimensiones formada por palos entrecruzados y situados sobre las ramas de un árbol o de un arbusto. En esta nidificación colonial los nidos están muy cerca unos de otros.

La hembra deposita 2 ó 3 huevos blancos que enseguida se vuelven de color café. Los pollos nidícolas nacen desnudos pero rápidamente se cubren de un blanco plumón. Los incansables y voraces polluelos, que son alimentados por ambos progenitores mediante regurgitación, permanecen en el nido entre 8 y 9 semanas.

En Costa Rica, es durante los meses de enero y febrero cuando se produce el mayor número de nacimientos. Ya durante el mes de mayo se ven en la isla Guayabo volar a los jóvenes inmaduros con su característico abdomen blanco.

metro de altura. Entre los arbustos destaca el guaco *(Pisonia aculeata)*, sobre los que acostumbran a nidificar las aves marinas. También están presentes las palmas de coyol *(Acromia vinifera)*, que crecen aisladas, y las palmas viscoyol *(Bactris minor)*, que crecen en grupos homogéneos. Su importancia radica en que es la mayor de las cuatro áreas de nidificación del pelícano alcatraz *(Pelecanus occidentalis)* que se conocen en Costa Rica, con una población que oscila entre los 200 y los 300 individuos. Aquí acuden también otras aves marinas como la tijereta de mar *(Fregata magnificens)*, la gaviota guanaguanare *(Larus atricilla)* y el piquero pardo *(Sula leucogaster)*. Es también el lugar en el que inverna el halcón peregrino *(Falco peregrinus)*. En la isla existe una abundante población de garrobos *(Ctenosaura similis)*.

Pelícano alcatraz • Brown pelican

Las islas Negritos, la Oriental y la Occidental, de costas muy recortadas, están formadas por basaltos y brechas del complejo de Nicoya que datan del Cretácico Superior. Se encuentran tapizadas por un bosque decíduo cuyos árboles dominantes son el flor blanca *(Plumeria rubra)*, el pochote *(Bombacopsis quinatum)* y el

Pelícanos pescando • Pelicans at fishing

BROWN PELICAN NESTING

The brown pelican *(Pelecanus occidentalis)* is present all year round on Costa Rica's Pacific coast. There are no breeding colonies on the Atlantic coast. On Guayabo Island, there is the largest of the four known nesting areas of this species in the country, with numbers ranging from 200 to 300 breeding pairs and significant annual variations.

During the breeding season this huge bird changes its appearance as its neck turns black, the crest on its neck goes brown and the feathers on its head take on a yellowish hue. The skin around the eyes turns reddish and the beak acquires a pinkish tint. Both the male and female build the nest, a small circular platform made of interlaced sticks on the branches of a tree or bush. In this nesting colony, the nests are very close together. The female lays 2 to 3 white eggs which immediately turn a coffee color. The nest-bound chicks are naked, but quickly grow white down. Untiring and voracious, they are fed by both parents by means of regurgitation and remain in the nest between 8 or 9 weeks.

In Costa Rica most hatchings take place in January and February. By May the characteristic white bellies of the juveniles can be seen over Guayabo Island.

Pelícano alcatraz joven • *Young brown pelican*

million years old and 50 meters high. The rather difficult access is across a pebble beach, which is the result of a past landslide. Its surroundings are completed by high cliffs. It is covered in bushes and small plants scarcely more than one meter high. The bushes include guaco *(Pisonia aculeata)*, where seabirds nest. There are also palmas de coyol *(Acromia vinifera)*, which grow individually and viscoyol palm *(Bactris minor)*, which occur in homogenous groups. Its importance lies in the fact that it harbours the largest of the four nesting areas of brown pelican *(Pelecanus occidentalis)* in Costa Rica, with numbers varying between 200 and 300 individuals. Besides harboring magnificent frigate birds *(Fregata magnificens)*, laughing gull *(Larus atricilla)* and brown booby *(Sula leucogaster)*, it is a wintering place for peregrine falcon *(Falco peregrinus)*. There is a large population of spiny-tailed iguanas *(Ctenosaura similis)*.

The Negritos Islands, Eastern and Western, with their very jagged coastlines, consist of basalts and breaches in the Nicoya Complex dating from the Upper Cretaceous. They are covered in deciduous forest, in which the predominant trees species are frangipani *(Plumeria rubra)*, 'pochote' *(Bombacopsis quinatum)* and the gumbo-limbo *(Bursera simaruba)*. In some parts, near the cliffs there are homogenous patches of piñuela or pinguin *(Bromelia pinguin)* and viscoyol palm. As on Guayabo Island, seabirds find a safe refuge here. As it is so near the coast, it is also the home of several terrestrial birds such as the white-tipped dove *(Leptotila verreauxi)*. The waters around these two islands are very rich in marine wildlife.

Isla Negritos • Negritos Island

INFORMACIONES PRÁCTICAS

- **Localización:** las tres islas están situadas en el golfo de Nicoya, en la provincia de Puntarenas. La isla de los Pájaros, 13 kilómetros al norte de Puntarenas dista sólo 500 metros de la costa oriental del golfo. La isla Guayabo está situada a 8 km al sudoeste de Puntarenas, al sur de la isla de San Lucas. Las islas Negritos, a 16,5 km de Puntarenas, se encuentran sólo a 600 m del litoral oriental de la península de Nicoya.
- **Accesos:** sólo se puede acceder a estas islas por barco y para poder descender a ellas hay que solicitar un permiso en el Área de Conservación Tempisque.
- **Servicio:** no existe ningún servicio en el interior de las islas. En Puntarenas pueden alquilarse lanchas.
- **Alojamiento:** en Puntarenas hay una amplia oferta de hoteles, restaurantes y supermercados.
- **Direcciones de interés:** para cualquier información dirigirse a la Oficina Regional Arenal-Tempisque, Telf.: (506) 695-5908, (506) 695-5180; fax: (506) 695-5982; e-mail: act@minae.go.cr

indio desnudo *(Bursera simaruba)*. En algunas partes, cerca de los farallones crecen manchas homogéneas de piñuela casera *(Bromelia pinguin)* y de la palma viscoyol. Como en la isla Guayabo numerosas aves marinas encuentran aquí un seguro refugio. También viven aquí, por su proximidad al litoral diversas aves terrestres como la paloma coliblanca *(Leptotila verreauxi)*. Las aguas que rodean estas dos islas son muy ricas en fauna marina.

La pequeña isla de los Pájaros, formada por rocas sedimentarias del Terciario, es más o menos redondeada con forma de domo. Durante la marea baja se puede rodear la isla caminando por las dos pequeñas playas que posee y por una angosta plataforma que la rodea. La vegetación está constituida por un bosque de poca altura y parches de pasto con charral. La especie dominante es el güisaro *(Psidium guieneense)*, un arbusto que tiene frutos comestibles. Como en las islas precedentes, el lugar es frecuentado por numerosas aves marinas, en especial por los pelícanos alcatraces y por otras aves como el martinete común *(Nycticorax nycticorax)*, el morito común *(Plegadis falcinellus)* y la anhinga americana *(Anhinga anhinga)*.

Isla Guayabo • Guayabo Island

Little Pájaros Island, which consists of sedimentary rocks from the Tertiary is more or less a rounded dome shape. At low tide it is possible to walk round the island across the two small beaches and a narrow platform. The vegetation comprises low woodland and patches of grassland with 'charral'. The predominant species is 'güisaro' *(Psidium guieneense)*, a bush that yields edible fruits. It is visited by lots of seabirds, especially brown pelicans, as well as black-crowned night heron *(Nycticorax nycticorax)*, glossy ibis *(Plegadis falcinellus)* and anhinga *(Anhinga anhinga)*.

Halcón peregrino • Peregrine falcon

PRACTICAL INFORMATION

- **Location:** the three islands are situated in the Gulf of Nicoya, in Puntarenas province. Pájaros Island, 13 kilometers, to the north of Puntarenas is only 500 meters from the eastern coast of the gulf. Guayabo Island is situated 8 km to the south-west of Puntarenas, to the south of San Lucas Island. The Negritos Islands, 16.5 km of Puntarenas are situated only 600 m from the eastern coast of the Nicoya Peninsula.
- **Access:** the islands can only be reached by boat and a permit is required from the Tempisque Conservation Area.
- **Service:** there are no services in the islands' interior. Launches can be hired at Puntarenas.
- **Accommodation:** in Puntarenas there is a wide variety of hotels, restaurants and supermarkets.
- **Useful addresses:** for any information, contact the Oficina Regional Arenal-Tempisque on Tels.: (506) 695-5908, (506) 695-5180; fax: (506) 695-5982; e-mail: act@minae.go.cr

RESERVA NATURAL ABSOLUTA CABO BLANCO

Bosque secundario • Secondary forest

Se trata del área silvestre protegida más antigua de Costa Rica. Situada en el extremo suroeste de la península de Nicoya, fue creada en 1963 con una extensión de 1.270 ha terrestres y 1.630 ha de mar litoral, gracias a las gestiones del ciudadano sueco Nicolás Wessberg y de su esposa Karen Mogensen. Es un refugio de gran importancia para la protección de aves marinas y una de las áreas de mayor belleza escénica de la costa del Pacífico Seco.

Cuando se creó la reserva, el 85% de sus tierras estaban dedicadas al pastoreo y a la agricultura. Casi cuarenta años después están ocupadas por un bosque secundario en proceso de equilibrio, conservándose el 15% del bosque primitivo a partir del cual comenzó la regeneración de la reserva natural. En los bosques de Cabo Blanco, en los que se han censado 140 especies de árboles, existe un predominio de las especies siempreverdes como el espavel *(Anacardium excelsum)* y el sonzapote *(Licancia platipus)*, mezcladas con especies caducifolias como el pochote *(Bombacopsis quinatum)*, el árbol más abundante de la reserva con ejemplares que alcanzan los cincuenta metros de altura, el madroño *(Calycophyllum candidissimum)*, el jobo *(Spondias mombin)* y el flor blanca *(Plumeria rubra)*.

A pesar de sus reducidas dimensiones alberga una variada fauna. Además de las abundantes chizas *(Sciurus variegatoides)* están presentes el caucel *(Felis wiedii)*, el puerco-espín *(Coendou mexicanus)*,

Isla Cabo Blanco • Cabo Blanco Island

Playa Cabo Blanco • Cabo Blanco Beach

CABO BLANCO STRICT NATURE RESERVE

Bosque siempreverde • Evergreen forest

This is the oldest protected wild area in Costa Rica. Situated at the south-western end of the Nicoya Peninsula, it was created in 1963 over 1,270 ha of land and 1,630 ha of coastal waters thanks to the intervention of the Swede Nicolas Wessberg and his wife Karen Mogensen. It is a very important refuge for the protection of sea birds and one of the most scenically beautiful areas on the Dry Pacific coastline.

When the reserve was set up, 85% of the land was given over to grazing and agriculture. Almost forty years later the land is covered in secondary forest in equilibrium, with 15% of the original forest that was the basis of the regeneration of the natural reserve having been conserved. In the forests of Cabo Blanco, in which 140 species of trees have been identified, there is a predominance of evergreens such as espavel *(Anacardium excelsum)* and sonzapote *(Licancia platipus)*, mixed with deciduous species such as pochote or spiny cedar *(Bombacopsis quinatum)* – the most numerous tree in the reserve, with specimens up to forty meters high –, the madroño or lemonwood *(Calycophyllum*

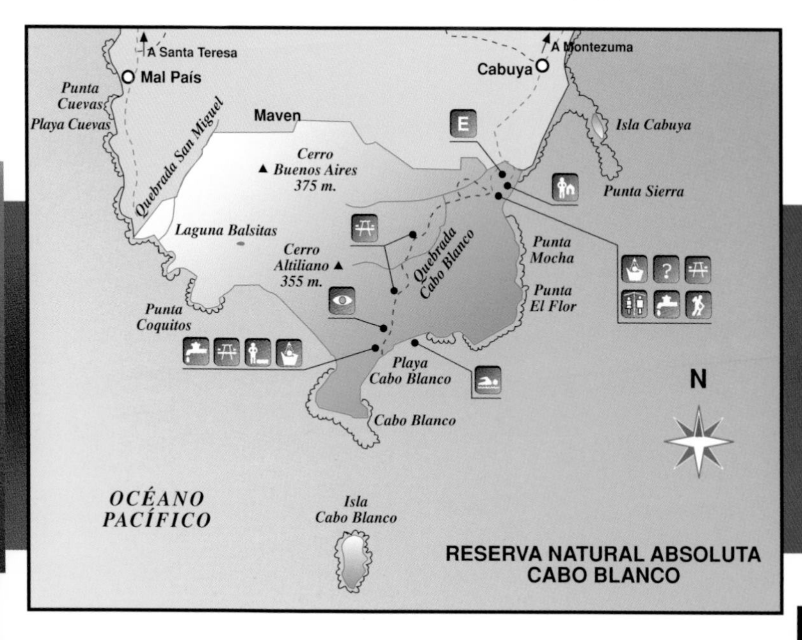

el venado cola blanca *(Odocoileus virginianus)*, el cusuco *(Dasypus novemcinctus)*, la martilla *(Potus flavus)* y tres especies de monos, el congo *(Alouatta palliata)*, el colorado *(Ateles geoffroyi)* y el carablanca *(Cebus capucinus)*.

Se han censado 150 especies de aves. Entre las terrestres están el saltarín lanceolado o toledo *(Chiroxiphia linearis)*, la garcita verdosa *(Butorides striatus)*, el caracara carancho *(Caracara plancus)*, el trogón elegante *(Trogon elegans)* y la cotorra catana *(Pyrrhura hoffmanni)*.

Las aves marinas son muy numerosas, en particular los pelícanos pardos *(Pelecanus occidentalis)*, las tijeretas de mar *(Fregata magnificens)*, las gaviotas guanaguanare *(Larus atricilla)* y los piqueros pardos *(Sula leucogaster)*. La colonia de esta última especie, con más de 500 parejas, es la más grande del país. A lo largo de la costa y dentro de la reserva existen tres dormideros de pelícanos a los que acuden cada atardecer no menos de 250 ejemplares. La sección marina es muy rica en peces e invertebrados, en la que los cambutes *(Strombus galeatus)* y las langostas *(Panulirus* sp.) son muy abundantes.

La isla de Cabo Blanco, situada a 1,6 km de la costa forma parte de la reserva. Es un peñón rocoso de paredes verticales con una vegetación muy escasa y cubierto totalmente del guano que dejan los centenares de aves marinas que allí se concentran. La punta de Cabo Blanco, donde termina la península de

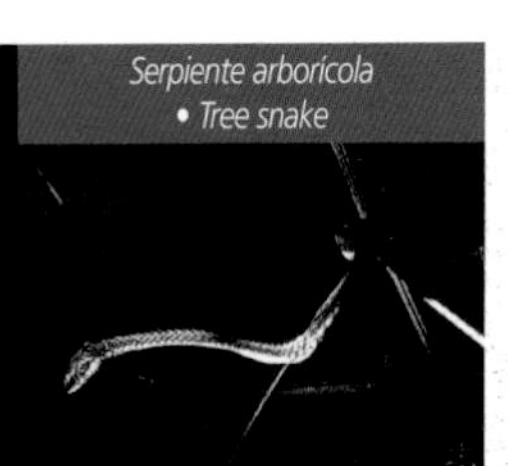

Serpiente arborícola • Tree snake

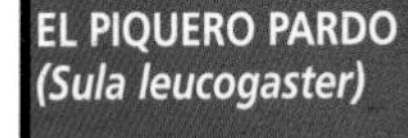

EL PIQUERO PARDO *(Sula leucogaster)*

El piquero pardo que se distribuye ampliamente en los mares tropicales de todo el mundo, pertenece a la familia de los Súlidos. También es conocido con los nombres de piquero moreno, monjita o alcatraz.

Los adultos se identifican por el plumaje de sus partes superiores de color café oscuro uniforme que contrasta con el blanco de la parte inferior del pecho y del vientre. La superficie interior de las alas es también blanca. Las patas y los dedos son de un color amarillo verdoso. En vuelo destaca su largo y puntiagudo pico, con sus alas estrechas terminadas también en punta y con la cola larga en forma de cuña. Planea sobre el mar, normalmente a muy poca altura, para zambullirse diagonalmente cuando observa alguna presa.

La colonia nidificante más grande que se conoce en Costa Rica de esta ave marina se encuentra en Cabo Blanco. El piquero moreno también nidifica en otros lugares de la costa pacífica y de la costa caribeña costarricense. Depositan sus huevos, generalmente dos, sobre el suelo desnudo o en las paredes acantiladas. Normalmente sólo crían un pollo. Sus colonias nidificantes son muy bulliciosas y machos y hembras comparten las labores de nidificación.

Costa de Cabo Blanco • Coastline at Cabo Blanco

THE BROWN BOOBY *(Sula leucogaster)*

The brown booby, which is widely distributed throughout the world's tropical seas, belongs to the Sulidae family. In Spanish it is known by the names *piquero pardo, monjita* and *alcatraz.*

The adults can be distinguished by the uniform dark coffee-colored plumage on their upper body, which contrasts with the white of the lower part of the breast and belly. The under surface of the wings is also white, and their legs and toes are greenish yellow. Its outstanding features in flight are its long pointed beak, narrow pointed wings and long wedge-shaped tail. It glides over the waves, normally very low, and dives down diagonally on spotting prey.

Costa Rica's largest known nesting colony of this seabird is at Cabo Blanco. The brown booby also nests elsewhere on the Pacific coast and Caribbean coast. They generally lay two eggs on bare earth or cliff faces and normally rear a single chick. Males and females share nesting tasks in the bustling nesting colonies.

Piquero pardo • Brown booby

candidissimum), jobo *(Spondias mombin)* and frangipani *(Plumeria rubra).* In spite of being small, it contains varied fauna. Besides the many tree squirrels *(Sciurus variegatoides),* there are margays *(Felis wiedii),* porcupine *(Coendou mexicanus),* white-tail deer *(Odocoileus virginianus),* nine-banded armadillo *(Dasypus novemcinctus),* kinkajou *(Potus flavus)* and three species of monkey; namely, the mantled howler monkey *(Alouatta palliata),* Central American spider monkey *(Ateles geoffroyi)* and white-faced capuchins *(Cebus capucinus).*

One hundred and fifty bird species have been identified. Among the terrestrial species are the long-tailed manakin *(Chiroxiphia linearis),* green-backed heron *(Butorides striatus),* crested caracara *(Caracara plancus),* elegant trogon *(Trogon elegans)* and sulfur-winged parakeet *(Pyrrhura hoffmanni).* The many seabirds include brown pelicans *(Pelecanus occidentalis),* magnificent frigate birds *(Fregata magnificens),* laughing gulls *(Larus atricilla)* and brown

Bosque secundario • Secondary forest

INFORMACIONES PRÁCTICAS

- **Localización:** en el extremo sudoeste de la península de Nicoya, en la provincia de Puntarenas.
- **Accesos:** se puede llegar por la ruta del transbordador Puntarenas-Playa Naranjo-Paquera-Cóbano-Montezuma-Cabuya-Administración (70 km), o desde Nicoya-San Pablo-Paquera-Cóbano-Montezuma-Cabuya-Administración (132 km). Existen también servicios de lancha Puntarenas-Paquera. En Paquera hay servicio de autobús y taxi.
- **Servicios:** en la Administración existe un servicio de información general y turística. En sus proximidades se encuentra el estacionamiento de vehículos con un área para el almuerzo con mesas, agua potable y servicios sanitarios. De la Administración salen dos senderos: el Sueco, que conduce a la playa Cabo Blanco, y el Danés, que da una vuelta completa por el bosque.
- **Alojamiento:** en Cabuya, un kilómetro antes de la Administración existen hoteles y restaurantes. Lo mismo en Montezuma y Cóbano.
- **Direcciones de interés:** para cualquier información dirigirse a la Administración del parque, Telf./fax: (506) 642-0093; e-mail: cablanco@minae.go.cr

Nicoya, está formada por una extensa plataforma rocosa que puede ser visitada en marea baja para observar los organismos marinos que quedan apresados en una infinidad de lagunillas. A ambos lados de este cabo existen dos playas arenosas, Balsitas y Cabo Blanco, bordeadas de grandes árboles. En el interior de la reserva y cerca del sendero El Sueco se han encontrado yacimientos arqueológicos prehispánicos.

Saltarín lanceolado • Long-tailed manakin

Mono congo • Mantled howler monkey

PRACTICAL INFORMATION

- **Location:** at the south-western end of the Nicoya Peninsula in the province of Puntarenas.
- **Access:** it can be reached along the ferry route Puntarenas-Playa Naranjo-Paquera-Cóbano-Montezuma-Cabuya-Administration (70 km) or from Nicoya-San Pablo-Paquera-Cóbano-Montezuma-Cabuya-Administration (132 km). There are also launch services between Puntarenas and Paquera. Paquera also has bus and taxi services.
- **Services:** in the administration building general and tourist information is provided. In the environs there is a parking lot and picnic area with tables, drinking water and toilets. Two trails start from the administration building. The El Sueco trail leads to Cabo Blanco Beach, while El Danés makes a complete circuit of the forest.
- **Accommodation:** in Cabuya, one kilometer before the administration building there are hotels and restaurants. Montezuma and Cóbano also offer such facilities.
- **Useful addresses:** for all information, contact the park administration on Tel./fax: (506) 642-0093; e-mail: cablanco@minae.go.cr

Playa Cabo Blanco • Cabo Blanco Beach

boobies *(Sula leucogaster).* The 500 pairs of the latter species make this the largest colony in the country. Along the coast and within the reserve there are three pelican roosts to which no fewer than 250 pelicans make their way every evening.

The marine section is very rich in fish and invertebrates and queen conches *(Strombus galeatus)* and lobsters *(Panulirus* sp.) abound.

The island of Cabo Blanco, situated 1.6 km from the coast, is also part of the reserve. It is a sheer rock with very scarce vegetation and totally covered in guano left by hundreds of seabirds. Cabo Blanco Point, where the Nicoya Peninsula ends, is made up of an extensive rocky shelf that can be visited at low tide to see the marine organisms that are left behind in countless pools. On both sides of this cape are the sandy beaches of Balsitas and Cabo Blanco lined with large trees. Inside the reserve and near the Sendero El Sueco, pre-Hispanic archaeological remains have been found.

Bosque seco • Dry forest

PARQUE NACIONAL BRAULIO CARRILLO

Bosque primario siempreverde • Evergreen primary forest

Cascada • Waterfall

El Parque Nacional Braulio Carrillo, con 47.583 hectáreas, fue creado en el año 1978 y se encuentra enclavado en una de las zonas de topografía más abrupta del país. Lleva el nombre del tercer Jefe de Estado de Costa Rica, el Benemérito de la Patria Ldo. Braulio Carrillo, que realizó ingentes esfuerzos por unir el Valle Central con la costa atlántica. Actualmente una carretera, con excelentes miradores, lo atraviesa de NE a SO.

La mayor parte del área protegida está constituida por altos complejos volcánicos tapizados por densos bosques y surcados por caudalosos ríos que forman profundos cañones, a veces de paredes verticales.

Senecio • Senecio

La complicada topografía y las altas precipitaciones, en torno a los 4.500 mm anuales, dan lugar a la formación de infinidad de cascadas que se observan por todas partes, y de numerosos cursos fluviales. Entre ellos destaca el río Sucio, cuyas aguas pardo amarillentas arrastran minerales de origen volcánico. Desde la misma carretera que atraviesa el parque puede observarse desde un puente la unión de este río Sucio con las aguas transparentes del río Hondura. En el parque se encuentran tres edificios volcánicos sin registros históricos de actividad: el Barva, el Cacho Negro y el Zurquí.

Casi toda la superficie del parque nacional está cubierta por un denso bosque primario siempreverde, en el que se estima que existen unas 6.000 especies de plantas. Los bosques de mayor altura y riqueza florística se encuentran en las partes más bajas, frente a la llanura caribeña, con especies como el olivo o aceituno *(Simarouba amara)*, el botarama *(Vochysia ferruginea)*, la caobilla *(Carapa guianensis)*, el ajo *(Caryocar costaricense)*, y el roble *(Quercus costaricensis)*.

Destacan por su abundancia los helechos arborescentes, las heliconias o platanillas del género *Heliconia*, las palmas, las bromeliáceas y las sombrillas

BRAULIO CARRILLO NATIONAL PARK

Ríos Sucio y Hondura • Sucio and Hondura rivers

The 47,583 hectare Braulio Carrillo National Park, created in 1978, is located in one of the most rugged parts of the country. It bears the name of Costa Rica's third head of state, a glorious son of the Motherland, Braulio Carrillo, who went to great lengths to join the Valle Central to the Atlantic coast. Nowadays, there is a highway, with excellent viewing points, which runs north-east to south-west. Most of the protected area consists of high volcanic land covered in thick forests and furrowed by swift rivers that form deep canyons, some of which have sheer walls. The rugged terrain and high precipitation of around 4,500 mm per year give rise to countless waterfalls all over

Colibrí • Hummingbird

LOS EDIFICIOS VOLCÁNICOS

El Parque Nacional Braulio Carrillo contiene tres edificios volcánicos principales apagados y de los que se desconoce una actividad histórica. El primero es el volcán Barva, el más occidental de todos, con 2.906 m de altitud. Se trata de un estratovolcán formado por cerca de una docena de cráteres situados en su cima y flancos y por dos estructuras caldéricas. Los cerros Las Marías, que se observan desde San José, son los restos de una de ellas. Dos de los cráteres se encuentran ocupados, uno por la laguna del Barva, de unos 70 metros de diámetro y 8,60 metros de profundidad rodeada de un denso bosque nuboso, y el otro por la laguna La Danta o Copey, de unos 50 metros de diámetro. Los materiales del volcán Barva son andesítico-basálticos, con abundantes coladas de lava que han desarrollado los acuíferos de los que se surten de agua potable la gran mayoría de los habitantes de las principales ciudades del Valle Central.

El segundo edificio volcánico es el cerro Cacho Negro, de 2.250 metros de altitud y forma bastante cónica. Es el que se encuentra situado más al norte. Se observa muy bien desde la carretera que atraviesa el parque, a la izquierda, si se va en dirección al Caribe. El cono de este antiguo volcán está abierto hacia el NE debido a una explosión lateral del Cuaternario, que esparció coladas de lava y flujos piroclásticos en un radio de unos treinta kilómetros cuadrados.

El tercer edificio volcánico es el Zurquí, que se observa nada más penetrar en el parque desde San José, hacia el noroeste. Está formado por un complejo de varios conos muy empinados y erosionados, entre ellos el Chompipe y el Turú, compuestos principalmente de andesitas y basaltos. Precisamente el túnel Zurquí atraviesa una brecha volcánica compuesta por estos materiales.

de pobre *(Gunnera insignis)*, inconfundibles por el inmenso tamaño de sus hojas. Especies con una protección total en Costa Rica por su serio peligro de extinción como la caoba *(Swietenia macrophylla)* son relativamente comunes en Braulio Carrillo.

La fauna es abundante, en particular la avifauna, de la que se han observado 347 especies, entre las que se encuentran el bellísimo quetzal *(Pharomachrus mocinno)*, el extraño pájaro sombrilla *(Cephalopterus glabricollis)* que emigra altitudinalmente, el águila solitaria *(Harpyhaliaetus solitarius)*, el pavón norteño *(Crax rubra)*, el campanero tricarunculado *(Procnias tricarunculata)* y el yigüirro *(Turdus grayi)*, el ave nacional de Costa Rica.

Los anfibios son muy numerosos, especialmente en el área Bajo de la Hondura. Una especie endémica es el sapo (*Bufo holdridgei*), común en las zonas del volcán Barva y en los Bajos del Tigre. Dos de las serpientes más venenosas del país, la matabuey *(Lachesis muta)* y la terciopelo *(Bothrops asper)* viven en el área protegida.

Entre los mamíferos destaca la abundancia y variedad de murciélagos.

Pájaro sombrilla cuellicalvo • Bare-necked umbrella bird

VOLCANIC EDIFICES

Braulio Carrillo National Park has three main inactive volcanic edifices for which there are no records of any activity. The first is Barva Volcano, the most westerly of all, at an altitude of 2,906 m. It is a stratovolcano made up of nearly a dozen craters situated on a peak and flanks and of two caldera structures. The Las Marías Hills, which are visible from San José, are the remains of one of them. Two of the craters are occupied, one, by Barva Lagoon, about 70 meters in diameter and 8.60 meters deep in the midst of thick cloud forest, and the other by La Danta or Copey Lagoon, some 50 meters in diameter. The materials produced by Barva Volcano are andesitic-basaltic, with many lava flows; the aquifers supply most of the inhabitants of the main cities of the Valle Central with drinking water.

The second volcanic landform is Cacho Negro Hill, some 2,250 meters high and fairly conical. Situated further north, there is a good view of it from the highway that crosses the park, on the left, if you are in the direction of the Caribbean. The cone of this former volcano is open to the north-east due to a lateral explosion in the Quaternary which strew lava flows and pyroclastic flows over a radius of some thirty square kilometers.

The third volcanic edifice is Zurquí, which can be seen virtually as soon as you enter the park from San José in a north-westerly direction. It consists of a complex of very steep eroded cones, including Chompipe and Turú, and mainly comprises andesites and basalts. The Zurquí Tunnel crosses a volcanic breach made of the same materials.

the area, as well as many river courses. They include the River Sucio, whose yellowish waters carry minerals of volcanic origin. From the same highway that crosses the park there is a view of a bridge at the confluence of the River Sucio and the transparent waters of the River Hondura. In the park, there are three volcanic edifices, for which there is no record of any activity: the Barva, Cacho Negro and Zurquí.

Almost the whole of the national park is covered in thick evergreen primary forest estimated to contain about 6,000 plant species. The tallest forests and the richest in botanical terms occur in the lowest parts near the Caribbean plain and contain species such as olive *(Simarouba amara)*, botarama *(Vochysia ferruginea)*, crabwood *(Carapa guianensis)*, butternut *(Caryocar costaricense)* and oak *(Quercus costaricensis)*.

There is a strikingly large number of tree ferns, heliconias of the genus *Heliconia*, palms, bromeliads and poor man's umbrella plants *(Gunnera insignis)*, unmistakable for its huge leaves. Species such as mahogany *(Swietenia macrophylla)* that enjoy total protection in Costa Rica because they are seriously threatened are relatively common in Braulio Carrillo.

There is lots of wildlife, especially birdlife (347 species identified to date), including the extremely lovely resplendent quetzal *(Pharomachrus*

Laguna en el cráter del volcán Barva • *The crater lake of Barva volcano*

Águila solitaria • *Solitary eagle*

Interior del bosque • Inside forest

Bosque siempreverde • Evergreen forest

Autilio chóliba • Tropical screech-owl

La danta o tapir *(Tapirus bairdii)* posee una población estable dentro del área protegida. El jaguar *(Panthera onca)* y el puma *(Felis concolor)* son los predadores más poderosos que viven aquí y entre los monos es fácil observar el mono congo *(Alouatta palliata)*, el mono colorado *(Ateles geoffroyi)* y el carablanca *(Cebus capucinus)*.

Todavía se conserva la calzada Braulio Carrillo, inaugurada en 1812, formada por piedras acomodadas, que sigue una ruta casi paralela a la actual carretera y que fue la primera vía de comunicación entre el Valle Central y la costa del Caribe. Administrativamente el parque está dividido en tres secciones: la sección Zurquí, la sección Quebrada González y la sección Barva.

INFORMACIONES PRÁCTICAS

- **Localización:** en la Cordillera Central, en las provincias de Heredia y San José, a 20 km de la ciudad de San José.
- **Accesos:** por la carretera San José-Puerto Limón, 500 metros antes del túnel Zurquí. Desde ahí salen el sendero circular Los Niños y el sendero Los Guarumos. La sección Quebrada González tiene la Administración 13 kilómetros después del túnel Zurquí. Existe en este sector el sendero interpretativo Las Palmas, servicios sanitarios, agua potable y un área para almorzar. La Administración del Sector Barva se encuentra cerca de la población de Sacramento y cuenta con los senderos Principal, Laguna Barva, Laguna Copey, El Mirador, Volcán Poás y Sendero Secreto. Existe un área para acampar, servicios sanitarios, un área para almorzar y agua potable.
- **Alojamiento:** en el interior del parque en el camping del sector Barva. Existe una gran oferta hotelera en San José y Heredia.
- **Direcciones de interés:** para mayor información dirigirse a la oficina Regional del Área de Conservación Cordillera Volcánica Central, Telf.: (506) 290-1927, (506) 290-1973; fax: (506) 290-4869; http//www.minae.go.cr/accvc

PRACTICAL INFORMATION

- **Location:** in the Cordillera Central, in the provinces of Heredia and San José 20 km from the city of San José.
- **Access:** along the San José-Puerto Limón highway, 500 meters before the Zurquí tunnel. The Los Niños Circular Trail and Los Guarumos Trail start from there. The administration office of La Quebrada González is 13 kilometers after the Zurquí tunnel. This sector contains the Las Palmas Interpretation Trail, toilets, drinking water and a picnic area. The administration offices of the Barva Sector is near the town of Sacramento and has the following trails: Principal, Laguna Barva, Laguna Copey, El Mirador, Volcán Poás and Sendero Secreto. There is a campsite, toilets, a picnic area and drinking water.
- **Accommodation:** in the park interior at the campsite in the Barva sector. There are lots of hotels in San José and Heredia.
- **Useful addresses:** for more information, contact the regional office of the Cordillera Volcánica Central Conservation Area, Tel.: (506) 290-1927, (506) 290-1973; fax: (506) 290-4869; http//*www.minae.go.cr/accvc*

mocinno), the curious bare-necked umbrella bird *(Cephalopterus glabricollis)*, which migrates between altitudes, the solitary eagle *(Harpyhaliaetus solitarius)*, great curassow *(Crax rubra)*, three-wattled bellbird *(Procnias tricarunculata)* and clay-colored robin *(Turdus grayi)*, the national bird of Costa Rica.

There are lots of amphibians, especially in the Bajo de la Hondura area. The endemic toad *Bufo holdridgei* is common in the areas of Barva Volcano and in the Bajos del Tigre. Two of the most venomous serpents in the country, the bushmaster *(Lachesis muta)* and fer-de-lance *(Bothrops asper)*, live in the protected area.

As far as mammals are concerned, there are numerous bats. Baird's tapir *(Tapirus bairdii)* is found in stable numbers in the protected area. The jaguar *(Panthera onca)* and puma *(Felis concolor)* are the most powerful predators living there, while it is easy to spot monkeys like the mantled howler monkey *(Alouatta palliata)*, Central American spider monkey *(Ateles geoffroyi)* and white-faced capuchin monkey *(Cebus capucinus)*. The well-preserved Braulio Carrillo roadway, inaugurated in 1812 and built of fitted stones, runs almost parallel to the current road and was the first communications route between the Valle Central and the Caribbean coast.

Administratively, the park is divided into three sections: the Zurquí section, Quebrada González section and Barva section.

Serpiente bocaracá • Bocaracá snake

Bromelia • Bromeliad

PARQUE NACIONAL VOLCÁN IRAZÚ

Borde de la caldera • Edge of the caldera

El Parque Nacional Volcán Irazú, con 2.000 hectáreas, fue establecido en el año 1955. Se trata de un estratovolcán activo de forma subcónica irregular que se extiende sobre 500 km² y que alcanza una altitud de 3.432 m, lo que le convierte en el volcán más grande y más alto de Costa Rica. Desde esta atalaya privilegiada pueden verse en días despejados los dos océanos y una gran parte del país. Su ininterrumpida actividad se ha caracterizado por la emisión de grandes nubes de vapor, cenizas y escorias que se desprenden de forma violenta, muchas veces acompañadas de fuertes sacudidas sísmicas y de ruidos subterráneos o retumbos, de ahí el nombre popular con el que se le conoce: "santabárbara mortal de la naturaleza".

PARQUE NACIONAL VOLCÁN IRAZÚ

1: Cráter Principal
2: Cráter Diego de la Haya
3: Cráter Playa Hermosa
4: Cono Piroclástico
5: Cráter de La Laguna

A San Gerardo
Río Sucio
Río Toro Amarillo
Límite P. N. V. Irazú
Carretera principal
Río Birrís
Carretera
A Cartago
A Cartago
N

IRAZÚ VOLCANO NATIONAL PARK

Cráter Principal • Main crater

The 2,000-hectare Irazú Volcano National Park was set up in 1955. This irregular subconical-shaped active stratovolcano covers 500 km² and is 3,432 m high, making it the largest and highest volcano in Costa Rica. On clear days, the two oceans and a large part of the country can be seen from this exceptional vantage point. A typical feature of its continuous activity is the emission of large clouds of steam, ash and scoria, which are given off in violent bursts, often along with severe seismic movements and a booming noise underground, hence its popular name of 'santabárbara mortal de la naturaleza'.

On the top there are five cones or volcanic craters. The main crater is circular and has a diameter of 1,050 m and a depth of 300 meters, and at the bottom is a permanent

Castilleja • 'Castilleja'

En la cima se pueden distinguir cinco conos o cráteres volcánicos. El cráter principal es de forma circular, con un diámetro de 1.050 m y una profundidad de 300 metros, presentando en su fondo una laguna permanente de aguas sulfurosas de un color verde amarillento característico. A su derecha, el cráter Diego de la Haya es de forma circular, con un diámetro de 690 metros y 80 metros de profundidad; hoy, se encuentra taponado y con frecuencia las lluvias forman, en su fondo plano, una pequeña laguna que desaparece durante la estación seca. Estas dos estructuras volcánicas están rodeadas parcialmente, en su lado sur, por los restos del cráter gigantesco de una caldera, conocido como cráter Playa Hermosa. Al este de estos tres cráteres se sitúan el cráter o cono Piroclástico y el cráter de La Laguna. En los flancos del volcán pueden distinguirse hasta una decena de conos parásitos.

Restos de la gran caldera • Remains of the gigant caldera

Carpintero bellotero • Acorn woodpecker

La flora se ha visto fuertemente alterada debido a las frecuentes erupciones. La mayoría de la cubierta vegetal del parque presenta una vegetación rala y achaparrada dominada por los arrayanes *(Vaccinium consanguineum)*, un arbusto con porte y hojas muy coriáceas y en la que también están presentes la

LAS ERUPCIONES DEL IRAZÚ

Durante los tiempos históricos este volcán nunca ha permanecido inactivo más de 30 años seguidos. El primer relato que se tiene de la furia de este volcán data de 1723. Fue descrito por el entonces Gobernador de Costa Rica Don Diego de la Haya Fernández. La erupción comenzó el 16 de febrero y durante todo el año las emisiones de ceniza fueron continuas. El foco de esta actividad se centró en el actual Cráter Diego de la Haya, denominado así en honor del Gobernador que describió su actividad volcánica.

A lo largo del siglo XIX el Irazú estuvo en constante actividad, destacando la del año 1844. Otro período de fuerte intensidad volcánica tuvo lugar entre 1917-1921 con enormes lluvias de cenizas que afectaron a los cultivos y a la ganadería. Las cenizas llegaron no sólo a San José sino que los vientos las trasladaron hasta el golfo de Nicoya. El 15 de junio de 1933 y en enero de 1940 la lluvia de cenizas fue muy intensa, perdiéndose los cultivos y muriendo una gran cantidad de ganado.

El último período de fuerte actividad tuvo lugar entre 1963-1965 cuando su furia se manifestó mediante un ciclo de intensas erupciones de ceniza que llegaron incluso a paralizar el tránsito en San José. Los vientos elevaron las cenizas hasta la playa pacífica de Tamarindo (a 175 km) y al Lago de Nicaragua. Con la llegada de las lluvias se formaron corrientes de lodo. Una de ellas arrasó el pueblo de Taras de Cartago, destruyendo más de 400 viviendas y provocando la muerte a más de 30 personas. Los daños a la agricultura y a la ganadería fueron enormes.

La última explosión repentina fue en 1994 en la pared norte del Cráter Principal. Hoy su actividad se reduce a la emisión de fumarolas y solfataras.

lagoon of typically sulfurous yellowish green water. To the right of it is the circular Diego de la Haya Crater, 690 meters

Entrada al parque • Park entrance

in diameter and 80 meters deep; nowadays, it is covered and the rain often forms a small lagoon on its flat bottom, which disappears in the dry season. These two volcanic landforms are partially surrounded on their southern side by the remains of the gigantic crater of a caldera, known as Playa Hermosa Crater. To the east of these three craters are the Pyroclastic Cone or Crater and the La Laguna Crater. A dozen or so parasite cones are visible on the volcano's flanks.

The flora has been greatly altered due to the frequent eruptions. Most of the park's vegetation cover is of the thin low sort made up mainly of arrayan *(Vaccinium consanguineum)*, a bush with very leathery leaves and look, and in which also contains poor man's umbrella *(Gunnera insignis)* and papelillo *(Senecio oerstedianus)* with its striking yellow leaves. In some small patches of primary and secondary forest the most numerous trees are the black oak *(Quercus costaricensis)*, growing stick *(Oreopanax*

Vista general del volcán • General view of the volcano

IRAZÚ'S ERUPTIONS

During the past this volcano was never inactive for more than 30 consecutive years. The first known account of its fury dates from 1723, when it was described by the then Governor of Costa Rica, Don Diego de la Haya Fernández. The eruption began on 16 February and for the entire year the ash emissions never ceased. The volcanic activity centered on the current Diego de la Haya Crater, so-called in honor of the governor who described its eruptions.

Throughout the nineteenth century Irazú was constantly active, the eruption in 1844 being particularly important. Another period of great volcanic intensity occurred between 1917-1921, with enormous showers of ash that affected crops and livestock. The ash reached not only San José, but the wind also carried it as far as the Nicoya Gulf. On 15 June 1933 and January 1940 the ash showers grew more intense, leading to the loss of crops and the death of a large number of cattle.

The last period of severe activity occurred between 1963-1965, when its fury manifested itself via a cycle of intense eruptions of ash that even managed to bring things to a halt in San José. The wind carried the ash as far as Tamarindo beach on the Pacific coast (175 km away) and to Lake Nicaragua. With the arrival of the rains, mudslides formed, one of which swept away the town of Taras de Cartago, destroying over 400 homes and killing more than 30 people. There was enormous damage to agriculture and livestock.

The last sudden explosion occurred in 1994 on the northern face of the Principal Crater. Nowadays, its activity has been reduced to the emission of fumaroles and solfataras.

Área volcánica • Volcanic area

sombrilla de pobre *(Gunnera insignis)* y el papelillo *(Senecio oerstedianus)* con sus llamativas flores amarillas. En algunos pequeños parches de bosques primarios y secundarios los árboles que más abundan son el roble negro *(Quercus costaricensis)*, el cacho de venado *(Oreopanax xalapensis)*, el copey o azahar de monte *(Clusia odorata)* y el cedrillo *(Brunellia costaricensis)*.

La fauna no es muy abundante. Los mamíferos más comunes son el conejo de monte *(Sylvilagus brasiliensis)*, el coyote *(Canis latrans)*, el cusuco *(Dasypus novem-cinctus)* y el tigrillo *(Felis tigrina)*. Entre las aves abundan diferentes especies de colibríes, el junco paramero *(Junco vulcani)*, el carpintero bellotero *(Melanerpes formicivorus)*, el solitario carinegro *(Myadestes melanops)*, el yigüirro de montaña *(Turdus plebejus)* y el capulinero colilargo *(Ptilogonys caudatus)*.

En las faldas del Irazú se ubicaron una serie de importantes cacicazgos indígenas como Atirro, Taque-Taque, Quircot e Istarú. Este último, del que se conocen datos del año 1569, significaba "cerro del temblor y el trueno", y a través del tiempo su nombre se modificó por el actual de Irazú, con el que se conoce.

Junco paramero • Volcano junco

INFORMACIONES PRÁCTICAS

- **Localización:** en la divisoria de aguas continentales de la Cordillera Volcánica Central, 32 km al NE de la ciudad de Cartago, en la divisoria de las provincias de Cartago y San José.
- **Accesos:** una carretera asfaltada conduce desde Cartago hasta prácticamente el borde de los cráteres Principal y Diego de la Haya. Existe un servicio de autobuses desde San José y Cartago hasta el volcán, los sábados y domingos.
- **Servicios:** un kilómetro antes de los cráteres hay un puesto de información y un área para almorzar con cafetería, mesas, lavabos y agua potable. Sobre el Cráter Principal se localiza un mirador panorámico. El parque está abierto de 8´00 a.m. a 16´00 p.m. Existen los senderos Los Cráteres, Las Torres, Micaela y La Gruta.
- **Alojamiento:** en Cartago y a lo largo de la carretera de acceso al parque nacional se encuentran hoteles y restaurantes.
- **Direcciones de interés:** para mayor información dirigirse a la Administración del parque nacional, Telf.: (506) 200-5025, (506) 551-9398, (506) 551-2970; fax: (506) 552-4823.

PRACTICAL INFORMATION

- **LOCATION:** on the continental watershed of the Cordillera Volcánica Central, 32 kilometers northeast of the city of Cartago on the border line between the provinces of Cartago and San José.
- **ACCESS:** a tarmaced road leads from Cartago virtually to the rim of Principal Crater and Diego de la Haya Crater. A bus service runs from San José and Cartago to the volcano on Saturdays and Sundays.
- **SERVICES:** one kilometer before the craters there is an information stand and a picnic area with a cafeteria, tables, washrooms and drinking water. On the Principal Crater there is a panoramic lookout point. The park is open from 08'00 a.m. to 16'00. p.m. There are four trails: Los Cráteres, Las Torres, Micaela and La Gruta.
- **ACCOMMODATION:** there are hotels and restaurants in Cartago and along the access road to the national park.
- **USEFUL ADDRESSES:** for more information, contact the national park offices, Tel.: (506) 200-5025, (506) 551-9398, (506) 551-2970; fax: (506) 552-4823.

xalapensis), copey *(Clusia odorata)* and small cedar *(Brunellia costaricensis)*.

There is not a lot of wildlife, the most common mammals being the eastern cottontail *(Sylvilagus brasiliensis)*, coyote *(Canis latrans)*, nine-banded armadillo *(Dasypus novemcinctus)* and little spotted cat *(Felis tigrina)*. As for birds, there are lots of different species of hummingbirds, volcano junco *(Junco vulcani)*, acorn woodpeckers *(Melanerpes formicivorus)*, black-faced solitaire *(Myadestes melanops)*, mountain robins *(Turdus plebejus)* and long-tailed silky-flycatcher *(Ptilogonys caudatus)*.

Inflorescencia • Inflorescence

In the foothills of Irazú there are a series of important Indian chiefdoms such as Atirro, Taque-Taque, Quircot and Istarú. Data on the latter has been available since 1569. Its name, which meant 'hill of trembling and thunder', was altered over time to Irazú, by which this active volcano is known today.

Cráter Principal • Main crater

PARQUE NACIONAL VOLCÁN POÁS

El Parque Nacional Volcán Poás fue establecido en el año 1971 con una extensión de 5.506 ha y ampliado en 1993 hasta las actuales 6.506 ha con objeto de incluir el Cerro Congo de 2.014 m de altitud. Es uno de los pocos volcanes de Centroamérica accesibles por carretera a los que se llega prácticamente hasta el cráter.

Cráter principal • Main crater

El Poás es un estratovolcán andesítico-basáltico compuesto que se eleva hasta los 2.708 metros de altitud. De forma subcónica, posee tres depresiones caldéricas en su parte superior. Al norte del cráter principal o cráter activo (puede observarse desde el mirador) se encuentra el cono Von Frantzius, que fue el primer foco eruptivo del volcán, cuya actividad se remonta a hace 25.000-20.000 años. Al sureste del cráter activo se localiza el cono Botos, que fue el centro de la actividad volcánica hace unos 7.500 años. Hoy se encuentra cubierto por una bella laguna freatomagmática de agua fría

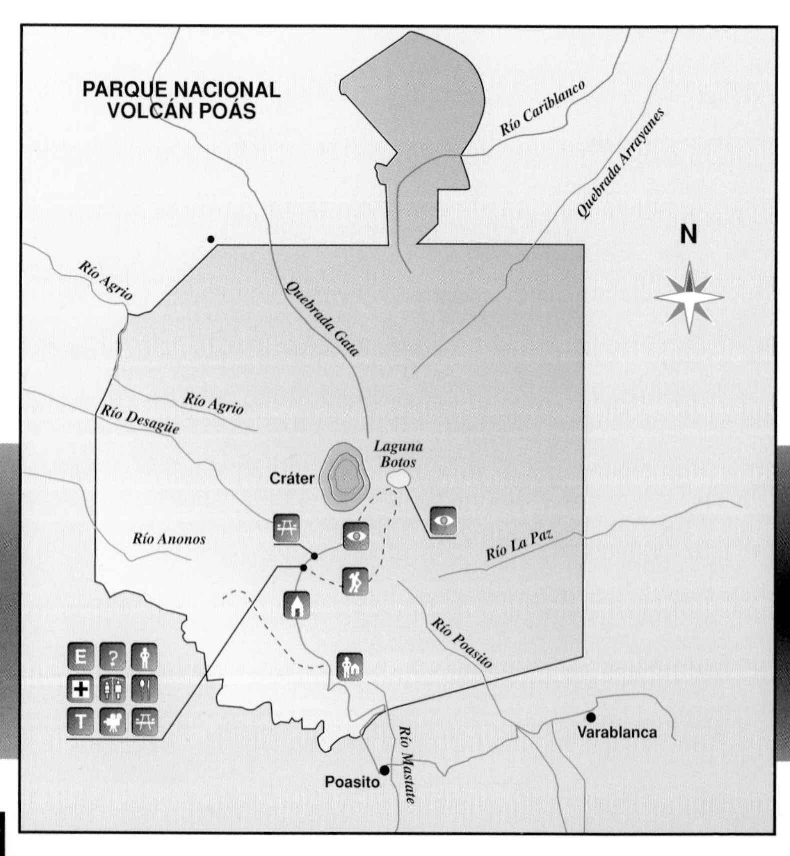

POÁS VOLCANO NATIONAL PARK

Poás Volcano National Park was set up in 1971 on 5,506 ha of land, and enlarged in 1993 to its current 6,506 ha through the inclusion of the 2,104-meter-high Cerro Congo. It is one of the few volcanoes in Central America that is accessible by road almost up to the crater.

Poás, an andesitic-basaltic composite stratovolcano 2,708 meters high, is a subconical shape with three caldera depressions in the upper part. In the north of the main crater or active crater (visible from the viewing point) there is the Von Frantzius cone, the volcano's first eruptive site, which first became active 25,000-20,000 years ago. To the southeast of the active crater is the Botos cone, which was the center of volcanic activity about 7,500 years ago. Nowadays it is covered in a lovely phreatomagmatic cold-water lagoon 400 meters in diameter and a maximum depth of 14 meters.

The main crater is still active. It is a huge depression or caldera almost 1.5 km across and about 300 meters deep. At the bottom of the crater is a thermomineral lagoon 400 m across, with temperatures varying between 35° and 95°C. The lagoon occasionally dries out and even disappears. It is then that the sulfur emissions increase and the feared acid rain is produced, which damages the vegetation and crops on the sides of the volcano. A cone of scoria and other volcanic materials in a dome shape rises about forty meters above the lagoon, and very active fumaroles produce emissions

Vista aérea del cráter principal • Main crater aerial view

Ardilla de montaña • Mountain squirrell

Sombrilla de pobre • Poor man's umbrella

de unos 400 metros de diámetro y una profundidad máxima de 14 metros.

El cráter principal se encuentra todavía en actividad. Se trata de una enorme hoya o caldera de casi 1,5 km de diámetro y unos 300 metros de profundidad. En el fondo del cráter existe una laguna termomineral de unos 400 m de diámetro con temperaturas que oscilan entre los 35° y los 95° C. En ocasiones la laguna tiende a secarse, incluso hasta desaparecer, y entonces se intensifican las emisiones de azufre y se producen las temidas lluvias ácidas que dañan la vegetación y cultivos de sus laderas. Sobre la laguna se alza un cono de escorias y otros productos volcánicos de estructura dómica que se eleva unos cuarenta metros por encima de ella, presentando fumarolas muy activas cuya emisión de gases y de vapor de agua pueden superar los 1.000° C de temperatura. El parque presenta cuatro hábitats principales. Una zona alrededor del cráter desprovista de vegetación o con sólo algunas especies adaptadas a estas coladas de lava y a estas cenizas endurecidas como el helecho lengua *(Elaphoglossum lingua)*. El área de los Arrayanes está dominada por el arrayán, un árbol pequeño y retorcido representado por dos especies diferentes: *Pernettia coriacea* y *Vaccinum poasanum*. Junto a ellos crecen árboles como el azahar

Laguna Botos • Botos lagoon

Pava negra • Black guan

LAS ERUPCIONES DEL POÁS

Desde que en 1747, el gobernador español Juan Genus describió una gran erupción en el volcán Poás se conocen hasta 60 diferentes períodos eruptivos. El más importante tuvo lugar el 25 de enero de 1910, pasadas las 4 de la tarde, en el que una inmensa nube de ceniza y de materiales volcánicos se elevó hasta los 8.000 metros sobre el nivel del cráter. El último período eruptivo importante aconteció entre 1952 y 1955.

El Poás ha mostrado a lo largo de su período histórico cuatro diferentes tipos de actividad. Las más comunes son las erupciones plumiformes o seudogeiserianas que consisten en la formación de columnas de aguas lodosas acompañadas de vapor, que pueden elevarse desde unos cuantos metros hasta varios kilómetros de altura. En la vida del volcán se han presentado desde con intervalos de minutos hasta con intervalos de años. Estas erupciones plumiformes han hecho que se considere al Poás como el geiser más grande del mundo.

El volcán ha experimentado también violentas erupciones freatiformes, como las que tuvieron lugar en 1834 y 1910 que causaron una espectacular lluvia de cenizas en todo el Valle Central. La actividad volcánica durante el año 1952 fue también freática, en el transcurso de la cual la laguna de agua caliente desapareció. La tercera actividad es de tipo estromboliano y efusiva y caracterizó a las erupciones de 1952 a 1955. Por último, a partir de 1981 se incrementó la actividad fumarólica. Estos cuatro tipos de actividad se han sucedido en el tiempo. Actualmente el volcán emite gases y vapor de agua por las fumarolas localizadas en el cono interior del cráter principal.

Cráter y laguna del volcán Poás • Poás volcano crater and lagoon

of gas, steam and water that can reach 1,000° C.

The park has four main habitats. One is an area around the crater either devoid of vegetation or with just a few species adapted to lava flows and hardened ash such as the tongue fern *(Elaphoglossum lingua)*. There is an area of arrayan trees, a small twisted tree that occurs in two species: *Pernettia coriacea* and *Vaccinum poasanum*. They occur together with trees such as the copey (*Clusia odorata)* and the curious cyprus *(Escallonia poasana)*, which looks like a Chinese pagoda. The thick dwarf forest that grows all along the trail to Botos Lagoon is almost impenetrable and features twisted trees with thick undergrowth where ferns abound. The predominant arboreal species are arrayanes, copeys and tucuicos *(Hesperomeles obovata)*. Very moist and shady cloud forest

Mapa del Volcán Poás • Poás Volcano map

POÁS VOLCANO ERUPTIONS

Ever since in 1747, the Spanish governor, Juan Genus, described a great eruption of Poás Volcano, there have been up to 60 different eruption periods. The most important one occurred on 25 January 1910 just after four o'clock in the afternoon, when a huge cloud of ash and volcanic material rose 8,000 meters above the crater. The last important eruption period was between 1952 and 1955.

Over its history Poás has experienced four different kinds of activity. The most common kind is the plumiform or pseudogeiserian eruption, which consists in columns of muddy water along with steam from a few meters to several kilometers high. Eruptions have taken place at intervals of minutes or years in the life of this volcano. Thanks to its plumiform eruptions, Poás is regarded as the largest geyser in the world.

The volcano has also experienced violent phreatic eruptions, like those that occurred in 1834 and 1910, which caused a spectacular rain of ash throughout the Valle Central. The volcanic activity in 1952 was also phreatic and led to the disappearance of the hot-water lagoon. Strombolian and effusive activity was a feature of the eruptions from 1952 to 1955. Finally, fumarolic activity increased after 1981. These four kinds of activity have succeeded one another over time. The volcano currently gives off gases and steam through the fumaroles in the inner cone of the main crater.

Cráter • Crater

Erupción • Eruption

Centro de visitantes • Visitor Center

de monte o copey *(Clusia odorata)* y la curiosa escalonia *(Escallonia poasana)*, que adquiere la forma de una pagoda china. El bosque achaparrado o enano se observa a lo largo del sendero de la laguna Botos. Es casi impenetrable y se caracteriza por árboles retorcidos con un denso sotobosque en el que abundan los helechos. Las especies arbóreas dominantes son los arrayanes, el copey y el tucuico *(Hesperomeles obovata)*. El bosque nuboso, muy húmedo y umbroso, rodea la laguna Botos y la parte posterior del Potrero Grande. Los árboles alcanzan los 20 metros de altura y sus ramas y troncos están tapizados por musgos, bromelias, hepáticas y epífitas. Las especies dominantes son el papayillo o cacho de venado *(Scheflera rodriguesiana)*, dos especies de roble, *Quercus costaricensis* y *Quercus copeyensis*, y el cedrillo *(Brunellia costaricensis)*.

La fauna no es muy abundante. El mamífero más común es la ardilla de montaña *(Syntheosciurus brochus)*, con su gruesa y peluda cola. Entre las 79 especies de aves censadas destaca la presencia del quetzal *(Pharomachrus mocinno)*, de varias especies de colibríes como el colibrí insigne *(Panterpe insignis)*, el tucanete esmeralda *(Aulocorhynchus prasinus)*, la pava negra *(Chamaepetes unicolor)* y el escarchero o mirlo negruzco *(Turdus nigrescens)*.

INFORMACIONES PRÁCTICAS

- **Localización:** en la divisoria de aguas de la Cordillera Volcánica Central, en la provincia de Alajuela, a 67 kilómetros de San José.
- **Accesos:** por carretera pavimentada de San José a Alajuela (20 km). Y desde Alajuela-San Isidro-Dulce Nombre-Fraijanes-Poasito-Administración. Los domingos existe un servicio de autobús Alajuela-Administración. Al parque también puede accederse a través de Heredia-Barva-Birrí-Roble-Cinco Esquinas-Poasito-Administración.
- **Servicios:** el parque permanece abierto al público de 8´00 a.m. a 16'00 p.m. En el Centro de Visitantes del parque existen todo tipo de servicios: estacionamiento para vehículos, una sala de exhibición, servicios sanitarios con accesos a discapacitados, cafetería, tienda de artesanía y área de picnic. Existe un mirador principal sobre el cráter activo. Hay tres senderos principales: el de la Laguna Botos o Sendero Garganta de Fuego, el Sendero del Canto de las Aves y el Sendero Escalonia.
- **Alojamiento:** en San José, Alajuela y Heredia se encuentra la más amplia oferta hotelera. A lo largo del camino hacia el volcán existen numerosos restaurantes y ventas de frutas.
- **Direcciones de interés:** para cualquier tipo de información dirigirse a la Administración del parque nacional, Telf.: (506) 482-2424; fax: (506) 482-2165; e-mail: poas1971@hotmail.com

PRACTICAL INFORMATION

- **LOCATION:** on the watershed of the Cordillera Volcánica Central in Alajuela province 67 kilometers from San José.
- **ACCESS:** along the asphalted highway from San José to Alajuela (20 km). And from Alajuela-San Isidro-Dulce Nombre-Fraijanes-Poasito-Administration. On Sundays there is a bus service Alajuela-Administration. The park is also accessible via Heredia-Barva-Birrí-Roble-Cinco Esquinas-Poasito-Administration.
- **SERVICES:** the park is open to the public from 08'00. to 16'00. At the park visitor center there is a car park, exhibition room, bathrooms adapted for handicapped people, a cafe, handicrafts shop and picnic area. The main viewing point is located at the active crater. There are three main trails: La Laguna Botos or Garganta de Fuego Trail, El Canto de las Aves Trail and Escalonia Trail.
- **ACCOMMODATION:** there are lots of hotels in San José, Alajuela and Heredia. Along the road to the volcano there are many restaurants and fruit stalls.
- **USEFUL ADDRESSES:** for all information, contact the national park administration on Tel.: (506) 482-2424; fax: (506) 482-2165; e-mail: vpoas1971@hotmail.com

Inflorecencia • Inflorescence

surrounds Botos lagoon and the back part of Potrero Grande; the trees grow up to 20 meters high and their branches and trunks are covered in moss, bromeliads, liverworts and epiphytes. The predominant species are didymopanax *(Scheflera rodriguesiana),* two kinds of oak *(Quercus costaricensis* and *Quercus copeyensis)* and small cedar *(Brunellia costaricensis).*

There is lots of wildlife. The most common mammal is the mountain squirrel *(Syntheosciurus brochus)* with its thick hairy coat. Among the 79 bird species recorded here is the resplendent quetzal *(Pharomachrus mocinno),* several species of humming-birds, such as the fiery-throated hummingbird *(Panterpe insignis),* the emerald toucanet *(Aulocorhynchus prasinus),* black guan *(Chamaepetes unicolor)* and sooty robin *(Turdus nigrescens).*

Colibrí insigne • Fiery-throated hummingbird

Epífitas • Epiphytes

MONUMENTO NACIONAL GUAYABO

Petroglifo • Petroglyph

Bosque alto siempreverde • Tall evergreen forest

El Monumento Nacional Guayabo fue creado en el año 1973, con una extensión de 232 hectáreas situadas en la falda sur del volcán Turrialba. Es el área arqueológica más importante y de mayor tamaño descubierta hasta ahora en Costa Rica. Guayabo forma parte de la región cultural denominada Intermontano Central y Vertiente Atlántica. Su ocupación humana parece remontarse al año 1.000 a.C., aunque el mayor desarrollo del cacicazgo tuvo lugar entre los años 300 a 700 d.C., época en la que se construyeron las estructuras de piedra que hoy se pueden observar en el monumento nacional.

La situación estratégica de Guayabo, entre las tierras bajas del Caribe y las altas centrales, contribuyó al auge de este sitio arqueológico que logró alcanzar en la región una importante posición política y religiosa. A su alrededor existieron una serie de aldeas que alojaban una población rural estimada entre las 1.500 y 2.000 personas. Guayabo fue abandonado antes de la llegada de los españoles.

Hasta la fecha se han excavado unas cuatro hectáreas, en las que han aparecido unas 50 estructuras diferentes. Entre ellas sobresalen las calzadas o pisos –que eran los "caminos" utilizados por sus habitantes–, los cuales forman parte también del sistema de drenaje y se prolongan en diferentes direcciones a lo largo de varios kilómetros de longitud; las gradas o planos inclinados para superar los desniveles del terreno; los muros de contención, los puentes y los montículos utilizados como basamento para las viviendas. También se encuentran en el área arqueológica tumbas construidas con lajas y cantos rodados. Desde el punto de vista hidrológico destacan los acueductos, unos abiertos y otros cerrados, muchos de ellos aún en servicio, que conducían el agua a los tanques de captación donde se almacenaba. Estos tanques son estructuras de piedra de forma rectangular. En todas estas estructuras los materiales de construcción

Inflorescencia • Inflorescence

GUAYABO NATIONAL MONUMENT

Área arqueológica • Archaeological area

Created in 1973, Guayabo National Monument covers an area of 232 hectares on the southern slopes of Turrialba volcano. It is the most important and largest archaeological site discovered in Costa Rica to date. Guayabo forms part of the cultural region known as the Central Inter-montane Region on the Atlantic Slope. Human occupation of the region appears to go back to 1000 BC although the Chiefdom reached the height of its development between the years 300 to 700 AD, the period when the stone structures of today's National Monument were built.

Lying as it does between the Caribbean lowlands and the Central Highlands, Guayabo's strategic location contributed towards the development of what is now the archaeological site, helping it achieve a position of political and religious importance in the region. A number of small villages established in the outlying area housed a rural population estimated at between 1,500 and 2,000 people. Guayabo was abandoned before the arrival of the Spanish. To date, some

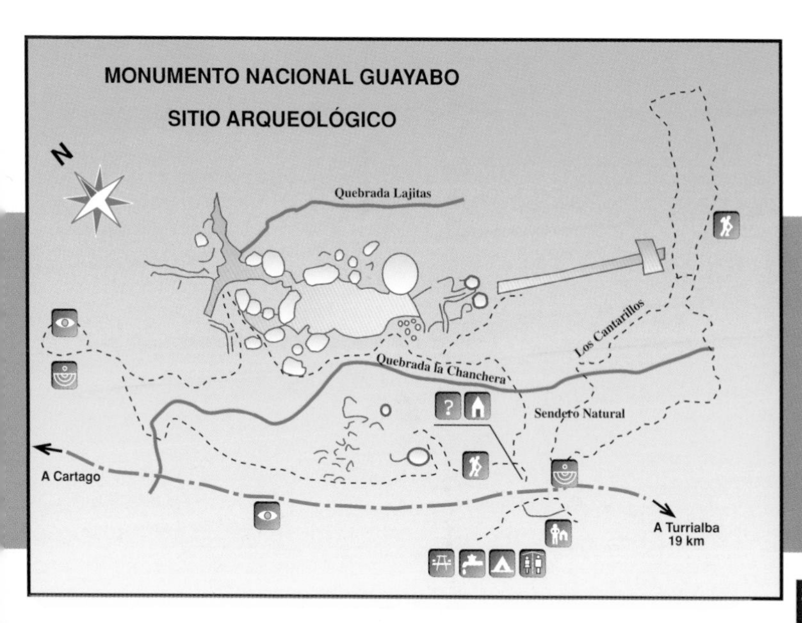

Bosque siempreverde • Evergreen forest

Los objetos que más llaman la atención al visitante son los monolitos y los petroglifos. Estos últimos se encuentran por todas partes, algunos son cantos rodados, de 40 a 50 cm de diámetro, que se colocaban en hileras, a veces muy juntos, con la cara más plana hacia arriba, y lajas de dimensiones variables, algunas hasta de 5 metros de longitud.

Tucán piquiverde • Keel-billed toucan

EL MUSEO NACIONAL

Don Anastasio Alfaro realizó en 1882 las primeras excavaciones del área protegida, obteniendo extraordinarias piezas talladas en piedra que trasladó al Museo Nacional en San José, del que era su director y donde hoy se exponen al visitante.

Entre ellas hay que destacar una mesa circular de 75 cm de diámetro y 40 cm de alto, con pedestal de caja invertida, segmentada y adornada con dibujos de animales.

Otra pieza extraordinaria es una lápida de un solo bloque de piedra, de 186 cm de largo, 60 cm de ancho y 5 cm de espesor que presenta todo su borde adornado con figuras de animales. En el museo se encuentran también una rana de oro y cobre, cascabeles de oro, piezas de cerámica, estatuillas, monolitos, petroglifos...

En 1973, el guardaparques Hazel Vargas encontró el monolito más importante descubierto hasta hoy, conocido como el Monolito del Jaguar y del Lagarto. Se trata de un canto rodado en forma de cuña, de 1´4 m de largo por 0´56 m de ancho que presenta por un lado la figura de un cuadrúpedo (un lagarto) y por el otro la de un animal de cabeza redondeada y cuerpo fusiforme y alargado (un jaguar). Hacia los extremos de las dos caras, ambas figuras entran en contacto.

Vista general del monumento • General view of the monument

four hectares have been excavated, uncovering around 50 different structures. The most noteworthy include the roadways or tracks that were the 'paths' used by the region's inhabitants. They also form part of the drainage system, extend out in different directions and are several kilometers in length, with gradients or planes that are inclined in order to negotiate the unevenness of the terrain. There are also retaining walls, bridges and the mounds on which the dwellings were built. The archaeological area also contains tombs constructed with flagstones and naturally formed rocks.

The aqueducts are a noteworthy feature of the water supply systems. Some of their channels are open while others are enclosed, and many are still in use. They carried the water that was stored in rectangular, stone-built holding cisterns.

The materials used to build all these structures were naturally formed rocks between 40 and 50 cm in diameter, which were aligned, sometimes very close together, with the flattest facet uppermost, as well as flagstones of varying dimensions, some up to 5 meters long.

The objects that visitors find most eye-catching are the monoliths and petroglyphs. The latter are found all over the site, some representing animals and others symbols that have yet to be identified. The numerous gold and ceramic artefacts that have been found there, together with other objects of archaeological interest, are currently on display at the Costa Rica's National Museum.

THE NATIONAL MUSEUM

In 1882, Anastasio Alfaro carried out the first excavations in what is nowadays a protected area. He found a number of extraordinary carved stone pieces that he took to the National Museum in San José where he was Director, and which visitors can see there to this day. They include a round table 75 cm in diameter and 40 cm in height, with an inverted box pedestal that is segmented and decorated with drawings of animals. Another extraordinary piece is a memorial tablet made from a single block of stone 186 cm long, 60 cm wide and 5 cm thick, the edge of which is decorated with animal figures. Also on display in the museum are a gold and copper frog, gold bells, pottery shards, statuettes, monoliths, petroglyphs, etc. In 1973, a park warden, Hazel Vargas, found the most important monolith discovered to date. Known as the 'Jaguar and Lizard Monolith', it consists of a wedge-shaped, natural boulder measuring 1.4 m long and 0.56 m wide. On one side it is decorated with the figure of a quadruped (a lizard) while on the other an animal with a rounded head and fusiform, elongated body (a jaguar) is depicted. At the end, where the two sides meet, both these figures come face to face.

INFORMACIONES PRÁCTICAS

- **Localización:** en la provincia de Cartago, en la ladera sur del volcán Turrialba, 19 km al norte de la ciudad de Turrialba y 86 km de San José.
- **Accesos:** desde Turrialba, una carretera conduce hasta Colonia Guayabo pasando por Azul y a dos kilómetros se encuentra la entrada al monumento. Existe un servicio de autobuses y taxis Turrialba-Colonia Guayabo y Turrialba-Santa Cruz (a 5 km del monumento).
- **Servicios:** la Administración se ubica 50 metros antes de la entrada al monumento. Desde ella se inicia un sendero natural que desciende hasta el fondo del río Guayabo. Dentro del área protegida se encuentra una estación de investigaciones arqueológicas, una sala de exhibiciones, un mirador desde el que se domina toda el área arqueológica, un anfiteatro y una zona para almorzar con agua potable y servicios sanitarios.
- **Alojamiento:** a la entrada del monumento hay un área para acampar. En Turrialba (a 19 km) existen hoteles, restaurantes y mercados.
- **Direcciones de interés:** para cualquier tipo de información dirigirse a la Oficina Subregional Turrialba del Área de Conservación de la Cordillera Volcánica Central, Telf./fax: (506) 559-1220, o al teléfono público del monumento: (506) 559-0099; e-mail: accvc@minae.go.cr

representando animales y otros símbolos aún no identificados. Numerosos objetos de oro, cerámica y otras piezas arqueológicas han sido recogidos en el yacimiento y actualmente se exhiben en el Museo Nacional de Costa Rica.

Calzada • Roadway

Los espacios naturales cercanos al sitio arqueológico presentan una vegetación secundaria abierta, consecuencia de una antigua extracción maderera que se realizó en el área hoy protegida. En el año 1980 se incorporó al monumento el cercano cañón del río Guayabo, en el que se desarrollan los bosques altos siempreverdes típicos de la región y en los que dominan árboles como el tirrá *(Ulmus mexicana)*, el cedro amargo *(Cedrela adorata)*, el cerillo *(Symphonia globulifera)* y la magnolia *(Talauma gloriensis)*.

La fauna es pobre y escasa debido a la poca extensión del sitio. Los animales más visibles son las aves, entre las que destacan por su abundancia los tucanes piquiverdes *(Ramphastos sulfuratus)* y las oropéndolas de Montezuma *(Psarocolius montezuma)*.

Con frecuencia se observan también mamíferos como el pizote *(Nasua narica)*, el zorro pelón *(Didelphis marsupialis)* y el caucel *(Felis wiedii)*.

Oropéndola de Montezuma • Montezuma oropendola

The natural habitats close to the archaeological site contain open, secondary-growth vegetation. This is the result of the region having been deforested long before it was declared a protected area. In 1980, the nearby Guayabo River canyon was included as part of the Monument. There one finds the tall evergreen forest typical of the region, in which the predominant trees are elm *(Ulmus mexicana)*, Barbadoes cedar *(Cedrela adorata)*, manni or chewstick *(Symphonia globulifera)* and magnolia *(Talauma gloriensis)*.

Fauna is both limited and scarce due to the small area covered by the National Monument. Birds are the most visible form of wildlife, including many keel-billed toucans *(Ramphastos sulfuratus)* and Montezuma oropendolas *(Psarocolius montezuma)*. There are frequent sightings of mammals such as the white-nosed coati *(Nasua narica)*, common opossum *(Didelphis marsupialis)* and margay *(Felis wiedii)*.

Vegetación secundaria • Secondary-growth vegetation

Área arqueológica • Archaeological area

PRACTICAL INFORMATION

- **Location:** in the province of Cartago, on the southern slopes of the Turrialba volcano 19 kilometers north of the city of Turrialba and 86 km from San José.
- **Access:** from Turrialba, there is a road that goes through Azul as far as Colonia Guayabo, from where it is two kilometers to the Monument entrance. There is a bus and taxi service that covers the routes Turrialba-Colonia Guayabo and Turrialba-Santa Cruz (5 km away from the Monument).
- **Services:** the Administration Center is situated 50 meters away from the entrance to the Monument. A path leads away from it and down to the Guayabo River. Once inside the protected area there is an archaeological research station, and an exhibition hall, which is a vantage point overlooking the whole of the archaeological site, an amphitheatre and a picnic area with drinking water and toilets.
- **Accommodation:** at the entrance to the Monument there is a campsite. In Turrialba (19 km away) there are hotels, restaurants and shops.
- **Useful addresses:** for any kind of information, please contact the Turrialba Sub-regional Office of the Central Volcanic Range Conservation Area, Tel./fax: (506) 559-1220, or the Monument's public telephone helpline (506) 559-0099; e-mail: accvc@minae.go.cr

ZONA PROTECTORA LA SELVA

Bosque húmedo tropical • Moist tropical forest

Esta zona protectora fue creada en el año 1982 con una superficie de 2.444 hectáreas en las tierras bajas del noreste de la vertiente atlántica costarricense. Dentro de la zona protectora y ocupando la mayor parte de la superficie se encuentra la Estación Biológica La Selva, cuya administración está a cargo de la Organización de Estudios Tropicales (OTS).

La importancia de esta zona protectora radica en su proximidad con la zona norte del Parque Nacional Braulio Carrillo, formando ambas áreas un corredor biológico altitudinal que va desde los 35 metros en La Selva a los 2.906 m sobre el nivel del mar de Braulio Carrillo. En él se realizan interesantes movimientos altitudinales, principalmente de aves y mamíferos, que recorren las cuatro zonas de vida que hay en este conjunto de hectáreas protegidas.

La Selva está tapizada por masas forestales primarias

Perezoso de tres dedos • Brown-throated three-toed sloth

LA SELVA PROTECTION ZONE

Río en la zona protectora • Protection zone river

This protection zone was created in 1982 over 2,444 hectares in the lowlands in the north-east of Costa Rica's Atlantic slope. The La Selva Biological Station, which is run by the Organization of Tropical Studies (OTS), is located within the protection area and covers most of its terrain.

The importance of this protection area lies in its proximity to the northern section of Braulio Carrillo National Park. Both areas form a biological corridor whose altitude varies from 35 meters above sea level in La Selva to a height of 2,906 m in Braulio Carrillo. Throughout the area, wildlife, principally birds and mammals, change altitude, moving through the four life zones that occur in this protected terrain.

The La Selva Protection Zone is covered in expanses

Inflorescencias • Inflorescences

Rana venenosa • Poisonous toad

Inflorescencia
• *Inflorescence*

LA O.T.S.

La Organización para Estudios Tropicales (OTS) fue establecida en el año 1963 por un consorcio entre siete universidades norteamericanas y la Universidad de Costa Rica. Su objetivo principal fue crear un centro de investigación sobre el ecosistema tropical para postgraduados e investigadores.

Muy pronto se unieron otras universidades e instituciones de educación superior hasta contar con 55 universidades e instituciones de investigación de Estados Unidos, Latinoamérica y Australia. La OTS se convirtió de esta manera en la principal promotora de una nueva generación de biólogos y ecólogos tropicales cuyas enseñanzas se basaron en una experiencia de campo.

Con una oficina central en San José, esta organización sin fines de lucro ha establecido a lo largo del país una serie de estaciones de campo que se encuentran siempre realizando una actividad científica y educativa desbordante. La estación principal de la OTS está en La Selva, un bosque primario siempreverde que fue adquirido por la organización en 1968. El lugar fue elegido por el Comité sobre Prioridades de Recursos en Biología Tropical del Consejo Nacional de Investigaciones de los Estados Unidos como uno de los cuatro sitios tropicales más importantes a nivel mundial para investigaciones intensivas ecológicas a largo plazo.

Entre los estudios más sobresalientes de la OTS, además del que se está realizando en La Selva destacan los de las playas de la Isla del Coco, los arrecifes coralinos del Parque Nacional Cahuita, el bosque húmedo del Parque Nacional Corcovado, las formaciones premontanas y montanas bajas de Monteverde, los bosques caducifolios de las tierras bajas de Santa Rosa, los bosques de bajura y el pantano fluvial del Parque Nacional Palo Verde.

siempreverdes, bosques húmedos tropicales que reciben anualmente una media de 4.000 mm de agua de lluvia. Su gran diversidad florística está representada por una flora vascular con 2.000 especies, de las que 400 son árboles. Algunos de los gigantes de estos bosques, casi siempre tapizados de lianas, bromelias, epífitas y musgos son el gavilán *(Pentaclethra macroloba)*, que es la especie dominante, el almendro *(Dipterix panamensis)* y el jícaro *(Lecythis ampla)*. En las abundantes ciénagas que existen el árbol más común es la caobilla *(Carapa guianensis)*. Otra característica de estas selvas primarias es la densidad de su sotobosque en el que la abundancia de palmas y aráceas es muy notable.

La fauna es muy abundante y variada. Se han censado 116 especies de mamíferos, entre ellos el murciélago blanco *(Ectophylla alba)*, los monos congo

Tigana
• *Sunbittern*

Bosque primario
• *Primary forest*

THE O.T.S.

The Organization for Tropical Studies (OTS) was founded in 1963 by a consortium of seven North American universities and the University of Costa Rica. Its principal objective was to create a tropical ecosystem research center for postgraduate students and researchers.

It was not long before other universities and higher education institutions joined the scheme, which currently consists of 55 Universities and Research Institutes from the United States, Latin America and Australia. This is how the OTS became the main driving force behind a new generation of tropical biologists and ecologists whose education was based around field experience.

With headquarters in San José, this non-profit-making organization has established a series of field stations throughout the length and breadth of the country in which some kind of groundbreaking scientific and educational activity is always taking place. The OTS's main station is in the La Selva Protection Area, a primary evergreen forest which the organization acquired in 1968. The location was chosen by the Tropical Biology Resources Priorities Committee of the United States' National Research Council as one of the four most important tropical regions in the world for long-term intensive ecological research.

Apart from those taking place in the La Selva Protection Area, the most outstanding OTS study programs currently being undertaken are those on the beaches of Isla del Coco, on the coral reefs of Cahuita National Park, in the rain forest of Corcovado National Park, in the pre-montane and low-montane formations of Monteverde, the deciduous forest of the Santa Rosa lowlands and the coastal forests and fluvial marshlands of Palo Verde National Park.

Estación OTS • OTS station

of evergreen primary forest, moist tropical forests with average annual rainfall of 4,000 mm . Its diversity of flora consists of 2,000 species of vascular plants, 400 of which are trees. The forest giants, which are almost invariably draped in lianas, bromeliads, epiphytes and mosses, are the wild tamarindo *(Pentaclethra macroloba),* which is the dominant species, the tonka bean tree *(Dipterix panamensis)* and the jicaro *(Lecythis ampla)*. The most common tree in the region's many marshes is the crabwood *(Carapa guianensis).* Another feature of these primary forests is the density of the undergrowth, with a large number of palms and Swiss-cheese plants.

The fauna is extremely abundant and varied. One hundred and sixteen species of mammals have been identified, including the Honduran white bat *(Ectophylla alba),* mantled howler monkey *(Alouatta palliata),* Central American spider monkey *(Ateles geoffroyi)* and white-faced

Serpiente terciopelo • Fer-de-lance snake

(Alouatta palliata), colorado *(Ateles geoffroyi)* y carablanca *(Cebus capucinus)*, el puma *(Felis concolor)*, el manigordo *(Felis pardalis)* y el venado colablanca *(Odocoileus virginianus)*. Se han observado más de 400 especies de aves, casi la mitad de toda la avifauna del país, incluyendo el hormiguero bicolor *(Gimnopithys leucapsis)*, que se alimenta principalmente de hormigas arrieras *(Eciton burchelli)*, el zopilote rey *(Sarcoramphus papa)*, el pavón norteño *(Crax rubra)*, la pava cojolita *(Penelope purpurascens)* y el trogón acollarado *(Trogon collaris)*.

En la zona protectora se han identificado 123 especies de anfibios y reptiles, entre ellos el sapito rojo *(Dendrobates pumilio)* y las serpientes venenosas matabuey *(Lachesis muta)*, el ofidio venenoso más grande del continente, y la terciopelo *(Bothrops asper)*. En los cursos fluviales del área protegida viven 43 especies de peces de agua dulce, entre los que se encuentra el guapote *(Cichlasoma dovii)*, un cíclido muy común y de carne deliciosa. Más de 1.700 insectos han sido inventariados, entre ellos 479 especies de mariposas.

Esta riqueza de fauna y flora convierte a los bosques tropicales de La Selva en uno de los lugares idóneos para el estudio de la biodiversidad de este ecosistema.

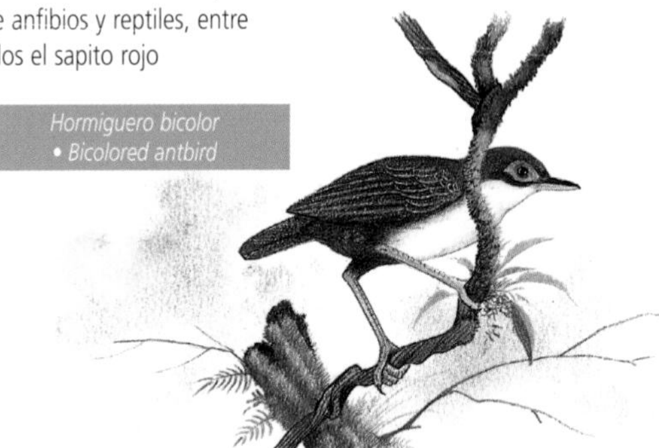
Hormiguero bicolor • Bicolored antbird

INFORMACIONES PRÁCTICAS

- **Localización:** en las tierras bajas del noreste de la vertiente atlántica costarricense, en la confluencia de los ríos Sarapiquí y Puerto Viejo.
- **Accesos:** por la carretera de San José a Limón, una vez atravesado el parque nacional Braulio Carrillo, se toma una desviación a la derecha a través de Santa Clara-Horquetas-Puerto Viejo-Administración OTS.
- **Servicios:** la estación biológica de la OTS cuenta con laboratorios, biblioteca, salas de conferencias, comedor, cabinas, dormitorios, tiendas y otras instalaciones. Existe una red de senderos a lo largo de la zona protectora que conducen a interesantes lugares escénicos. Uno de ellos se adentra en el Parque Nacional Braulio Carrillo y llega hasta el volcán Barva. Cuenta con varios refugios en los que es posible pernoctar.
- **Alojamiento:** en la propia estación biológica de la OTS con reserva previa.
- **Direcciones de interés:** para cualquier información dirigirse a la Estación Biológica de la OTS, Telf.: (506) 766-6565; fax: (506) 766-6535; e-mail: oet@ots.ac.cr
Pueden llamar en San José al Telf.: (506) 524-0607; fax: (506) 524 0608.

capuchin *(Cebus capucinus)*, puma *(Felis concolor)*, ocelot *(Felis pardalis)* and whitetail deer *(Odocoileus virginianus)*. More than 400 species of birds have been spotted, almost half of the total number of species to be found in the country as a whole, including the bicolored antbird *(Gimnopithys leucapsis)*, which mainly feeds on army ants *(Eciton burchelli)*, king vulture *(Sarcoramphus papa)*, great currasow *(Crax rubra)*, crested guan *(Penelope purpurascens)* and collared trogon *(Trogon collaris)*.

As for amphibians and reptiles, 123 species have been identified within the protection area. They include the poison dart frog *(Dendrobates pumilio)* and venomous snakes such as the bushmaster *(Lachesis muta)* and the most poisonous snake in America, the fer-de-lance *(Bothrops asper)*. The watercourses flowing through the protected area are home to 43 species of freshwater fish, including the wolf cichlid *(Cichlasoma dovii)*, an extremely common cycloid fish that makes delicious eating. Furthermore, over 1,700 insects have been recorded, including 479 species of butterfly.

This wealth of fauna and flora make the tropical forests of the La Selva Protection Area one of the most ideal places in which to study the biological diversity of this ecosystem.

Flora en La Selva • La Selva flora

Planta vascular • Vascular plant

PRACTICAL INFORMATION

- **Location:** in the low-lying country of Costa Rica's north-eastern Atlantic seaboard, at the confluence of the Sarapiquí and Puerto Viejo rivers.
- **Access:** via the San José to Limón road. After crossing Braulio Carrillo National Park, take a turning off to the right and follow the signs for Santa Clara-Horquetas-Puerto Viejo-Administration OTS.
- **Services:** the OTS Biological Station is equipped with laboratories, a library, conference rooms, a dinning room, chalets, sleeping facilities, shops and other installations. A network of trails runs through the whole of the protection area to places of scenic interest. One of these trails leads into Braulio Carrillo National Park, taking walkers as far as Barva Volcano. There are a number of refuges where it is possible to spend the night.
- **Accommodation:** at the OTS Biological Station itself if you book in advance.
- **Useful addresses:** for all kinds of information, please contact the OTS Biological Station (Estación Biológica de la OTS), Tel.: (506) 766-6565; fax: (506) 766-6535; e-mail: oet@ots.ac.cr Calls can also be made in San José to Tel.: (506) 524-0607; fax: (506) 524-0608.

PARQUE NACIONAL TORTUGUERO Y REFUGIO NACIONAL DE VIDA SILVESTRE BARRA DEL COLORADO

Playa de Tortuguero • *Tortuguero beach*

El Parque Nacional Tortuguero, creado en 1975, y el Refugio Nacional de Vida Silvestre Barra del Colorado, establecido en 1985, forman un área protegida de 112.398 hectáreas, a las que hay que añadir 52.266 hectáreas de superficie marina. Es el área más importante de toda la mitad occidental del Caribe para el desove de la tortuga verde *(Chelonia mydas).* Otras especies de tortugas marinas que habitualmente desovan en las extensas playas del parque y del refugio son la baula *(Dermochelys coriacea),* la

Basilisco • *Basilisk*

TORTUGUERO NATIONAL PARK AND BARRA DEL COLORADO NATIONAL WILDLIFE REFUGE

Tortuguero National Park, set up in 1975, and Barra del Colorado National Wildlife Refuge, established in 1985, make up a protected area that covers 112,398 hectares, with an additional 52,266 hectares of marine habitat. It is the most important laying site in the whole of the western half of the Caribbean for green turtles *(Chelonia mydas)*. Other species of marine turtles that habitually lay their eggs on the extensive beaches of the park and the refuge are the leatherback *(Dermochelys coriacea)*, hawksbill or carey turtle *(Eretmochelys imbricata)* and loggerhead turtle (*Caretta caretta*).

Canales de Tortuguero • Tortuguero channels

In geomorphological terms, the park and refuge consist of a broad flood plain made up of a coalescence of deltas, whose winding courses filled in part of the former Nicaragua Trench. This broad plain, with its still evident former courses, dry meanders and oxbow lakes, is only

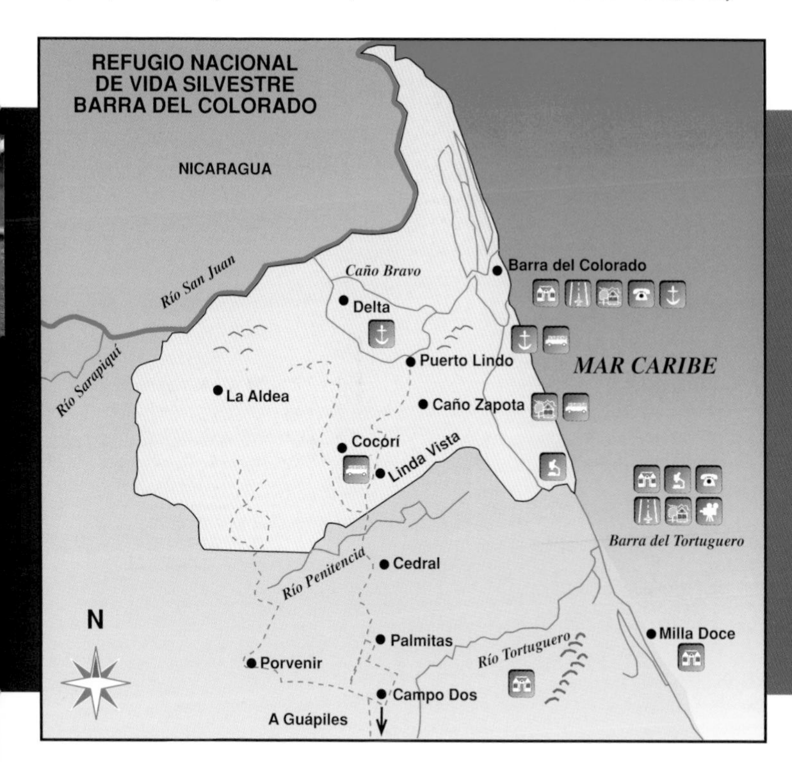

Bosque pantanoso • Swamp forest

carey *(Eretmochelys imbricata)* y la cahuama *(Caretta caretta)*.

Geomorfológicamente el parque y el refugio están constituidos por una amplia llanura de inundación formada por una coalescencia de deltas, que con sus cauces divagantes rellenaron parte de la antigua fosa de Nicaragua. Esta amplia llanura, en la que se observan los cauces antiguos, los meandros secos y los lagos meándricos, sólo está interrumpida por algunos cerros y conos de poca altura, restos del archipiélago de origen volcánico que contribuyó a anclar los sedimentos traídos por los ríos desde los sistemas montañosos. Entre ellos destaca el cerro Tortuguero, un pequeño cono cuaternario de piroclastos de 119 m de altitud que constituye una excepcional atalaya desde la que se divisa una gran parte del área protegida.

El parque y el refugio, incorporados a la Lista de Humedales de Importancia Internacional de la Convención de Ramsar, constituyen una de las zonas más lluviosas de Costa Rica, con una pluviosidad anual media entre los 5.000 y los 6.000 mm y una de las áreas silvestres de mayor diversidad biológica del país. Se han identificado hasta 11 hábitats diferentes. Los principales son la vegetación litoral, con la presencia de cocoteros *(Cocos nucifera)*; los bosques altos muy húmedos en los que abunda la caobilla *(Carapa guianensis)*; los bosques sobre lomas, con la presencia del María *(Calophyllum brasiliense)*; los bosques pantanosos, con árboles que alcanzan los 40 metros de altura como el cativo *(Prioria copaifera)* y el sangregao *(Pterocarpus officinalis)*; los yolillales, formados casi exclusivamente por la palma yolillo *(Raphia taedigera)*; los pantanos herbáceos, constituidos por plantas herbáceas de hasta dos metros de altura como la hoja de lapa *(Cyclanthus bipartitus)*, y las comunidades herbáceas, con una vegetación flotante en la que a veces la choreja *(Eichornia crassipes)* es tan densa que impide la navegación.

La fauna es rica y diversa. Entre los mamíferos son particularmente abundantes los monos carablanca *(Cebus capucinus)*, los monos colorados *(Ateles geoffroyi)* y los monos congo *(Alouatta palliata)*. Una de las especies más interesantes es el murciélago pescador

Vegetación acuática • Swamp vegetation

Garceta grande • Great egret

Garceta azul • Little blue heron

interrupted by a few hills and low cones, remains of the volcanic archipelago that helped anchor the sediments that the rivers transported there from the mountains.

Guacamayo ambiguo • Great green macaw

One example is the hill known as Cerro Tortuguero. A small quaternary cone of pyroclasts 119 m high, this exceptional vantage point affords views of most of the protected area.

The park and refuge, which are included on the List of Wetlands of International Importance of the Ramsar Convention, make up one of the wettest parts of Costa Rica, with annual average rainfall between 5,000 and 6,000 mm, as well as one of the wilderness areas with the greatest biodiversity in the country. As many as 11 different habitats have been identified. The main ones are coastal vegetation, with coconut palms *(Cocos nucifera);* very moist high forests with lots of crabwood *(Carapa guianensis);* forests on rises with Santa María trees *(Calophyllum brasiliense);* swamp forests with trees up to 40 meters high such as the cativo *(Prioria copaifera)* and mang trees *(Pterocarpus officinalis);* the stands of raffia almost exclusively consisting of raffia palm (*Raphia taedigera*); herbaceous swamps consisting of herbaceous plants up to two meters high such as hoja de lapa *(Cyclanthus bipartitus)* and herbaceous communities, with floating vegetation, in which the water hyacinth

Barra del Colorado • Barra del Colorado

(Noctilio leporinus), uno de los más grandes del país, que se alimenta básicamente de peces que captura con sus fuertes uñas sobrevolando la superficie del agua. También existen poblaciones estables de especies amenazadas como la danta *(Tapirus bairdii)*, el jaguar *(Panthera onca)*, el manigordo *(Felis pardalis)* y la nutria *(Lutra longicaudus)*. De las aves se han censado 309 especies, entre ellas el amenazado guacamayo ambiguo *(Ara ambigua)*, el pavón norteño *(Crax rubra)*, el tucán piquiverde *(Ramphastos sulfuratus)*, la anhinga americana *(Anhinga anhinga)* y la garza azulada *(Ardea herodias)*.

Se han observado 60 especies de anuros, incluyendo la rana transparente *(Centrolenella valerioi)*, la rana ternero *(Leptodactylus pentadactylus)*, que al verse amenazada produce una secreción tóxica, y el sapito rojo *(Dendrobates pumilio)*, de piel tóxica. En la zona marina, frente a ambas áreas protegidas existen poblaciones importantes de macarelas *(Scomberomorus maculatus)* y de camarones *(Penaeus brasiliensis)*. En estas aguas litorales se ha observado el inmenso tiburón ballena *(Rhincodon typus)*.

INFORMACIONES PRÁCTICAS

- **Localización:** en las llanuras de Tortuguero, al noreste del país, en la provincia de Limón, limitando con la frontera con Nicaragua.
- **Accesos:** al parque nacional se puede llegar por avioneta desde Limón o San José hasta Parismina, al sur del parque, o hasta Tortuguero. Desde Moin es accesible por bote. Existe un servicio regular de lancha Moin-Tortuguero a través de los canales, y en Moin se pueden alquilar botes para realizar un recorrido. A Barra del Colorado se accede a través de un canal fluvial de 70 km que comunica el límite sur del refugio con el puerto de Moin. También desde Guápiles, donde se pueden alquilar taxis, se puede acceder hasta Puerto Lindo con un vehículo todoterreno y luego por bote llegar a Tortuguero o a Barra del Colorado.
- **Servicios:** desde Parismina se llega a la entrada sur del parque, donde se encuentra un puerto fluvial con un puesto de guardaparques en el que se proporciona información y donde hay servicios sanitarios y una sala de exhibiciones. De este sector parten los senderos Milla 19 (por la costa) y Caño Negro. En Tortuguero, además de una pista de aterrizaje y un puerto fluvial se encuentra la Administración, un centro de investigación, una sala de exhibiciones, agua potable y servicios sanitarios. De esta sección del parque salen los senderos El Ceiba y El Gavilán que llegan hasta la costa. En Barra del Colorado existe una pista de aterrizaje y un puerto fluvial, además de un puesto de guardaparques. Por el angosto canal Caño La Palma se llega al Centro de Investigación y Enseñanza Superior sobre el trópico húmedo.
- **Alojamiento:** en Tortuguero y Barra del Colorado existen hoteles, pensiones y restaurantes. Se puede acampar en Tortuguero, Jalova y Agua Fría.
- **Direcciones de interés:** para más información puede dirigirse a los Telfs./fax: (506) 710-2929, (506) 710-2939, (506) 710-7542; e-mail: acto@minae.go.cr

PRACTICAL INFORMATION

- **Location:** on the Tortuguero Plains in the north-east of the country in Limón province, bordering Nicaragua.
- **Access:** it is possible to get to the national park by light aircraft from Limón or San José to Parismina in the south of the park, or to Tortuguero. It is accessible by boat from Moin. There is a regular launch service Moin-Tortuguero along the channels, and in Moin, boats can be hired for trips. Barra del Colorado is accessible via a 70-km river channel which connects the southern boundary of the refuge with the port of Moin. It is also possible to get from Guápiles, where there are taxis for hire, to Puerto Lindo in a four-wheel drive vehicle and then go on by boat to Tortuguero or Barra del Colorado.
- **Services:** to the park entrance from Parismina. At the former there is a river port with a ranger post where information is available and with toilets and an exhibition room. The trails Milla 19 (along the coast) and Caño Negro leave from this sector. In Tortuguero, besides a landing strip and a river port, there is an administration office, research center, exhibition room, drinking water and toilets. From this section of the park the El Ceiba and El Gavilán trails lead to the coast. In Barra del Colorado there is a landing strip and river port, besides a ranger post. Along the narrow Caño La Palma channel it is possible to reach the Center for Research and Higher Education in the Wet Tropics.
- **Accommodation:** in Tortuguero and Barra del Colorado there are hotels, guest houses (*pensiones*) and restaurants. It is possible to camp in Tortuguero, Jalova and Agua Fría.
- **Useful Addresses**: for more information, contact Tels./fax: (506) 710-2929, (506) 710-2939, (506) 710-7542; e-mail: acto@minae.go.cr

(Eichornia crassipes) is sometimes so thick that it impedes the passage of boats.

The wildlife is rich and diverse. The mammals include large numbers of white-faced capuchin monkey *(Cebus capucinus),* Central American spider monkey *(Ateles geoffroyi)* and mantled howler monkey *(Alouatta palliata).* One of the most interesting species is the greater, or fishing, bulldog bat *(Noctilio leporinus).* One of the largest in the country, it basically feeds on fish which it catches with its strong nails while flying over the surface of the water. There are also stable populations of threatened species such as Baird's tapir *(Tapirus bairdii),* jaguar *(Panthera onca),* ocelot *(Felis pardalis)* and otter *(Lutra longicaudus).*

Three hundred and nine bird species have been identified, including the threatened great green macaw *(Ara ambigua),* great curassow *(Crax rubra),* keel-billed toucan *(Ramphastos sulfuratus),* anhinga *(Anhinga anhinga)* and great blue heron *(Ardea herodias).*

There are 60 known species of frogs, including the glass frog *(Centrolenella valerioi),* smokey jungle frog or South American bullfrog *(Leptodactylus pentadactylus),* which when threatened, produces a toxic secretion, and the poison dart frog *(Dendrobates pumilio)* whose skin is toxic. In the marine area lying off both protected areas, there are large populations of mackerel *(Scomberomorus maculatus)* and shrimps *(Penaeus brasiliensis).* The huge whale shark *(Rhincodon typus)* has been spotted in these coastal waters.

The natural system of extraordinarily lovely navigable channels and lagoons

Rana calzonuda • *Calzonuda frog*

Vista aérea, Barra del Colorado • Barra del Colorado, aerial view

El sistema natural de canales y lagunas navegables, de una extraordinaria belleza, que cruzan el área protegida del sureste al noreste constituyen el hábitat de 7 especies de tortugas terrestres. En esta gran Venecia de la Naturaleza viven también el amenazado manatí *(Trichechus manatus)*, el caimán *(Caiman crocodylus)*, el escaso cocodrilo *(Crocodylus acutus)* y hasta 30 especies de peces de agua dulce, entre los que destaca el gaspar *(Atractosteus tropicus)*, un fósil viviente cuyo desove en las lagunas de aguas someras constituye un espectáculo extraordinario.

Son numerosos los peces que se localizan en las aguas marinas y salobres, entre ellos el tiburón toro *(Carcharhinus leucas)*, el abundante roncador *(Pomadasys grandis)*, el róbalo *(Centropomus undecimalis)* y el jurel *(Caranx hippos)*.

LAS TORTUGAS MARINAS

En la actualidad existen en el Caribe 5 géneros de tortugas marinas pertenecientes a dos familias, todos presentes en Costa Rica.

Claves de identificación

1. Caparazón recubierto por una piel correosa, sin placas bien diferenciadas, (Familia Dermochélidos).

1.1. Presencia de quillas longitudinales patentes.
La mayor de las tortugas vivientes.
Dermochelys coriacea (Tortuga baula).

2. Caparazón recubierto por placas bien diferenciadas (Familia Quelónidos).

2.1. Placa nucal en contacto con la primera costal.

2.1.1. Placas inframarginales con poros glandulares.
5 a 9 escudos costales a cada lado.
Lepidochelys olivacea (Tortuga lora).

2.1.2. Placas inframarginales sin poros glandulares.
5 escudos costales a cada lado.
Caretta caretta (Tortuga cahuama).

2.2. Placa nucal separada de la primera costal.

2.2.1. Dos pares de placas prefrontales.
4 escudos costales imbricados a cada lado.
Eretmochelys imbricata (Tortuga carey).

2.2.2. Un par de placas prefrontales.
4 escudos costales a cada lado.
Chelonia mydas (Tortuga verde)

Tortuga baula • Leatherback turtle

that flow across the protected area from south-east to north-east are the habitat of seven species of tortoise. This great 'Nature's Venice' is also home to the threatened West Indian manatee or seacow *(Trichechus manatus)*, caiman *(Caiman crocodilus)*, rare crocodile *(Crocodylus acutus)* and up to 30 species of freshwater fish, including the tropical gar *(Atractosteus tropicus)*, a living fossil that lays its eggs in the shallow waters in an extraordinary spectacle.

Tortuga de rio • River turtle

Many fish live in the salt water and brackish water, including bull shark *(Carcharhinus leucas)*, the very grunt *(Pomadasys grandis)*, common snook *(Centropomus undecimalis)* and crevalle jack *(Caranx hippos)*.

Anhinga americana • Anhinga

SEA TURTLES

In the Caribbean, there are 5 genera of sea turtles belonging to two families; all of them can be found in Costa Rica.

Identification Keys

1. Shell covered in leathery skin, plaques not well differentiated, (Family Dermochelyidae).
1.1. Presence of obvious longitudinal keel or breastbone. The largest living turtle. *Dermochelys coriacea* (leatherback turtle).
2. Shell covered in well differentiated plaques (Family Cheloniidae).
2.1. Nucal plaque touches first costal.
2.1.1. Inframarginal plaques with glandular pores. 5 to 9 costal shields on each side. *Lepidochelys olivacea* (Pacific ridley turtle).
2.1.2. Inframarginal plaques without glandular pores. 5 costal shields on each side. *Caretta caretta* (Loggerhead turtle).
2.2. Nucal plaque separated from first costal.
2.2.1. Two pairs of prefrontal plaques. 4 costal shields overlapping on each side. *Eretmochelys imbricata*. (Hawksbill or carey turtle)
2.2.2. One pair of prefrontal plaques. 4 costal shields on each side. *Chelonia mydas* (Green turtle)

PARQUE NACIONAL CAHUITA

Vista aérea del arrecife • Aerial view of the coral reef

El Parque Nacional Cahuita fue declarado como tal en 1978, aunque ya antes, en 1970, había sido designado Monumento Natural. Con una extensión de 1.106 hectáreas terrestres y 22.400 hectáreas marinas, es una de las áreas naturales más bellas del país, en la que destacan sus playas de arenas blancas, sus miles de cocoteros, su tranquilo mar de aguas claras y su arrecife coralino.

Aquí se encuentra el único arrecife de coral bien desarrollado en la costa caribeña costarricense, asentado sobre una gran plataforma que se extiende en forma de abanico frente a Punta Cahuita, entre el río Perezoso y Puerto Vargas, abarcando una superficie en torno a las 240 hectáreas. Es un arrecife de tipo marginal, presentando una cresta externa y una especie de laguna interior. Está formado por ripio de coral viejo, arena al descubierto, parches de coral vivo y praderas submarinas de pasto de tortuga *(Thalassia testudinum)*, un alimento básico para las tortugas verdes *(Chelonia mydas)* y para muchas especies de peces.

Pez ángel reina • Queen angelfish

Litoral de Cahuita • Cahuita coastline

CAHUITA NATIONAL PARK

Sector Puerto Vargas • Puerto Vargas sector

Cahuita was declared a national park in 1978, although in 1970, it had already been designated a natural monument. Covering 1,106 hectares of land and 22,400 hectares of marine habitat, it is one of the loveliest natural areas in the country, with outstanding white sand beaches, thousands of coconut palms,

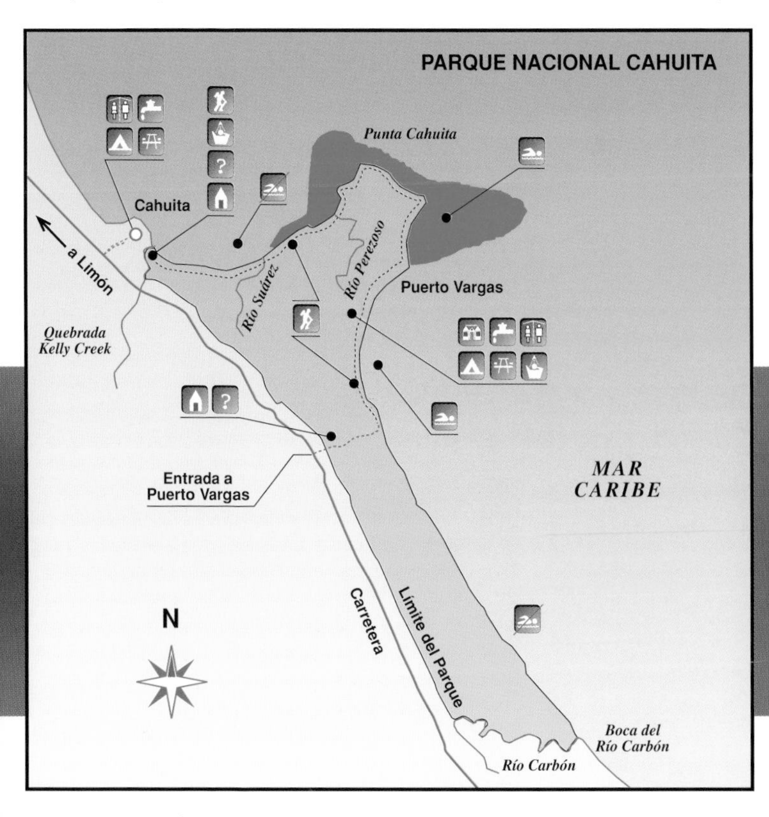

Hasta la fecha se han identificado en el arrecife 35 especies de corales, siendo los más abundantes los cuernos de alce *(Acropora palmata)* y los cerebriformes *(Diploria strigosa* y *Colcophyllia natans)*. Los espectaculares abanicos de mar *(Gorgonia flabellum)* se entremezclan con 140 especies de moluscos, 44 especies de crustáceos y 128 especies de algas. Entre las 123 especies de peces que viven en el arrecife destacan por su espectacular colorido el pez ángel reina *(Holacanthus ciliaris)*, el isabelita *(Holacanthus tricolor)* y el loro azul *(Scarus coeruleus)*, y por sus dimensiones la gran barracuda *(Sphyraena barracuda)* y la manta *(Manta birostris)*.

Junto al arrecife, al norte de la desembocadura del río Perezoso se localizan los restos de un barco que fue utilizado para el comercio de esclavos y que naufragó durante la segunda mitad del siglo XVIII.

EL RÍO PEREZOSO

El río Perezoso es el desagüe natural del pantano de agua dulce que ocupa gran parte de Punta Cahuita. Fue bautizado con este nombre por el geógrafo canadiense Gilles Lemieux, autor de un estudio sobre el desarrollo turístico del litoral atlántico al sur de Puerto Limón (1969), por lo frecuente que era observar a los perezosos de dos dedos *(Choloepus hoffmanni)* en las proximidades del río.

Este curso fluvial presenta la notable característica de que sus aguas son de color pardo oscuro opalescente. Este color se debe a la abundancia de ácido tánico de origen vegetal disuelto en sus aguas y que, cosa curiosa, impide el desarrollo de mosquitos o zancudos.

El río Perezoso es navegable un trecho por los dos brazos que posee, convirtiéndose en un excelente itinerario fluvial para observar aves y mamíferos y escuchar los múltiples sonidos de la selva. El caudal del río varía mucho, con fuertes oscilaciones entre la época de lluvias y la estación seca, y a veces su desembocadura llega a bloquearse.

En Punta Cahuita existe un área pantanosa sobre la que crece un denso bosque en el que destaca la presencia del cativo *(Prioria copaifera)*, del sangregao *(Pterocarpus officinalis)* y del fruta dorada *(Virola koschnyi)*. Otros hábitats presentes en el parque nacional son el bosque mixto no inundado con especies como el guaitil *(Genipa americana)* y el cerillo *(Symphonia globulifera)*, el

Diodon holocanthus

Myripiistis jacobus

Gorgonia • Gorgonia

Coral cuerno de alce • Elkhorn coral

THE RIVER PEREZOSO

The River Perezoso (Sloth River) is the natural discharge area for the freshwater swamp that covers most of Punta Cahuita. It was given this name by the Canadian geographer Gilles Lemieux, author of a study on tourist development of the Atlantic coast south of Puerto Limón (1969), because Hoffman's two-toed sloths *(Choloepus hoffmanni)* were such a common sight in the environs of the river.

An interesting feature of this river is the opalescent dark brown water due to the large amount of dissolved plant tannin, which, curiously, prevents keeps mosquitoes at bay.

The River Perezoso is navigable along both arms, making it an excellent river trip for seeing birds and mammals and listening to the principal sounds of the jungle. The river flow varies a lot, with great oscillations between the rainy season and the dry season; sometimes the river mouth sets blocked.

a calm clear sea and a coral reef.

It can boast the only well developed coral reef on the Caribbean coast, on a large shelf that spreads like a fan off Cahuita Point between the River Perezoso and Puerto Vargas over a surface area of around 240 hectares. It is a marginal coral reef with an outer ridge and a kind of inner lagoon. It consists of a filling of old coral, exposed sand, patches of living coral and underwater meadows of turtle grass *(Thalassia testudinum)*, a staple food for green turtles *(Chelonia mydas)* and for many species of fish.

To date, 35 species of coral have been identified on the reef, the most numerous being elkhorn coral *(Acropora palmata)* and brain coral *(Diploria strigosa* and *Colcophyllia natans)*. Spectacular sea fans *(Gorgonia flabellum)* mingle with 140 species of mollusks, 44 species of crustaceans and 128 species of algae. Among the 123 species of fish living on the reef the most outstanding for their spectacular colors are the queen angelfish *(Holacanthus ciliaris)*, rock beauty angel *(Holacanthus tricolor)* and blue parrot fish *(Scarus coeruleus)* and for their size the great barracuda *(Sphyraena barracuda)* and manta *(Manta birostris)*.

Alongside the reef, north of the mouth of the River Perezoso, are the remains of a boat that was used for the slave trade and was shipwrecked in the second half of the eighteenth century.

At Cahuita Point there is a swampy area on which a thick forest grows containing cativo *(Prioria copaifera)*, mang tree *(Pterocarpus officinalis)* and banak *(Virola koschnyi)*. Other habitats in the national park are the mixed forest that is not flooded, with species such as guaitil *(Genipa americana)* and manni or chewstick *(Symphonia globulifera)*; mangrove swamp in which red mangrove *(Rhizophora mangle)* predominates; and coastal vegetation, with lots

Punta Cahuita • Cahuita point

Mariposa caligo • Caligo butterfly

Río Suárez • Suárez River

manglar con predominio del mangle colorado *(Rhizophora mangle)* y la vegetación litoral, con abundancia de cocoteros *(Cocos nucifera)* y papaturros *(Coccoloba uvifera)*.

Entre los mamíferos que pueden ser observados más fácilmente en el área protegida se encuentran los monos congo *(Alouatta palliata)*, los mapachines comunes *(Procyon lotor)*, los mapachines cangrejeros *(Procyon cancrivorus)* y los pizotes *(Nasua narica)*. En el área pantanosa es habitual la presencia del ibis verde *(Mesembrinibus cayennensis)*, del martinete coronado *(Nyctanassa violacea)*, del martinete cucharón *(Cochlearius cochlearius)*, al que se observa en colonias de 50 o más individuos, y del escaso martín pescador verdirrufo *(Chloroceryle inda)*.

Ibis verde • Green ibis

INFORMACIONES PRÁCTICAS

- **Localización:** en la costa caribeña, 43 kilómetros al sur de Puerto Limón.
- **Accesos:** por carretera de San José a Puerto Limón (190 km). De Limón a Cahuita hay una carretera asfaltada que conduce a la población de Cahuita (43 km). Existen servicios de autobuses y taxis San José-Cahuita y Limón-Cahuita.
- **Servicios:** hay dos entradas al parque nacional, una por Cahuita y otra por Puerto Vargas. Un sendero por el borde de la playa comunica ambos lugares. En Puerto Vargas, además de la casa de los guardaparques existe una zona para acampada con agua potable, servicios sanitarios y duchas. Se indican lugares recomendados para la práctica del buceo y para el baño en el mar.
- **Alojamiento:** además del área de camping en Puerto Vargas, en la población de Cahuita hay hoteles, pensiones, restaurantes y mercados.
- **Direcciones de interés:** para cualquier información dirigirse a las oficinas del parque, Telf.: (506) 755-0060; fax: (506) 755-0455; o al Telf. en Puerto Vargas: (506) 755-0302; e-mail: aclac@minae.go.cr

of coconut palms *(Cocos nucifera)* and sea grapes *(Coccoloba uvifera).*

The mammals that are easiest to spot in the protected area include mantled howler monkey *(Alouatta palliata),* raccoon *(Procyon lotor),* crab-eating raccoons *(Procyon cancrivorus)* and white-nosed coatis *(Nasua narica).* In the swamp area there are green ibis *(Mesembrinibus cayennensis),* yellow-crowned night-heron *(Nyctanassa violacea),* boat-billed heron *(Cochlearius cochlearius)* in colonies of 50 or more birds and the rare green-and-rufous kingfisher *(Chloroceryle inda).*

Bosque mixto • Mixed forest

Martín pescador verdirrufo • Green-and-rufous kingfisher

Coral cerebriforme • Brain coral

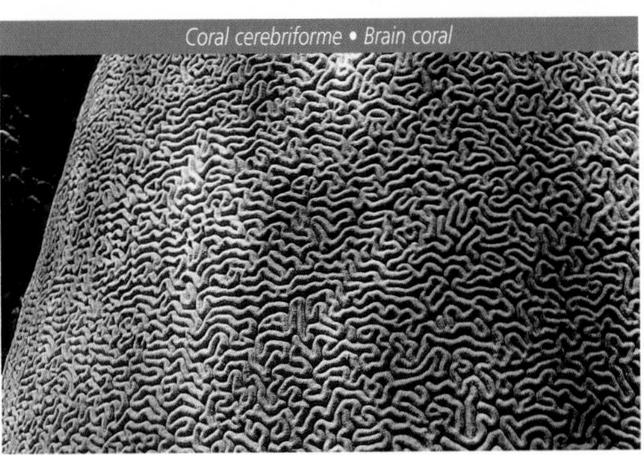

PRACTICAL INFORMATION

- **Location:** on the Caribbean coast, 43 kilometers south of Puerto Limón.
- **Access:** along the road from San José to Puerto Limón (190 km). From Limón to Cahuita there is an ashphalted road to the town of Cahuita (43 km). Bus and taxi services cover the routes San José-Cahuita and Limón-Cahuita.
- **Services:** there are two entrances to the national park; one via Cahuita and another via Puerto Vargas. A path along the edge of the beach joins both places. In Puerto Vargas, besides the rangers' house, there is a campsite, drinking water, toilets and showers. Places that are good for diving and swimming in the sea are indicated.
- **Accommodation:** besides the camping site in Puerto Vargas, in Cahuita town there are hotels, guest houses *(pensiones),* restaurants and markets.
- **Useful Addresses:** for any information, contact the park offices, Tel.: (506) 755-0060; fax: (506) 755-0455; or on Tel. in Puerto Vargas: (506) 755-0302; e-mail: aclac@minae.go.cr

REFUGIO NACIONAL DE VIDA SILVESTRE GANDOCA-MANZANILLO

Litoral marino • Coastline

Este refugio nacional fue creado en el año 1985 con una extensión de 3.833 ha terrestres y 4.436 ha marinas en la costa caribeña, muy cerca de la frontera con Panamá. Constituye una de las áreas de mayor belleza escénica del país.

La costa del refugio está formada por varias puntas arrecifales emergidas, entre las que existen playas de arenas blancuzcas de suave pendiente y escaso oleaje, bordeadas por infinidad de cocoteros y de arrecifes coralinos que se extienden hasta 200 metros mar abierto. En Punta Mona se eleva hasta unos 30 metros de altura una especie de meseta formada por una antigua plataforma coralina emergida.

Águila-azor galana • Ornate hawk eagle

Río Creek • Creek River

Los arrecifes situados frente a Punta Uva, Manzanillo y Mona, que en su conjunto abarcan una extensión de cinco kilómetros cuadrados, están formados básicamente por corales de los géneros *Diploria, Siderastrea, Agaricia, Acropora* y *Porites*. En ellos son comunes las langostas *(Panulirus argus)*, los abanicos de mar *(Gorgonia ventalina)* y los erizos de espinas largas *(Diadema antillarum)*. Centenares de peces de bellos colores dan vida a estos

GANDOCA-MANZANILLO NATIONAL WILDLIFE REFUGE

Playa • Beach

This national refuge was created in 1985 over 3,833 ha of land and 4,436 ha of marine habitat on the Caribbean coast very close to the border with Panama. It is one of the most scenically beautiful areas in the country.

The coastline consists of several emerged reefs, including gently sloping beaches of white sand and calm waters lined with countless coconut palms and coral reefs that stretch 200 meters into the open sea. At Punta Mona a kind of plateau rises about 30 meters up from a once submerged coral shelf.

Carpintero centroamericano • Black-cheeked woodpecker

The reefs located off Punta Uva, Manzanillo and Mona, which together cover an area of five square kilometers, basically consist of corals of the genera *Diploria, Siderastrea, Agaricia, Acropora* and *Porites*. Lobsters *(Panulirus argus)*, sea fans *(Gorgonia ventalina)* and long-spined urchins *(Diadema antillarum)* are common there.

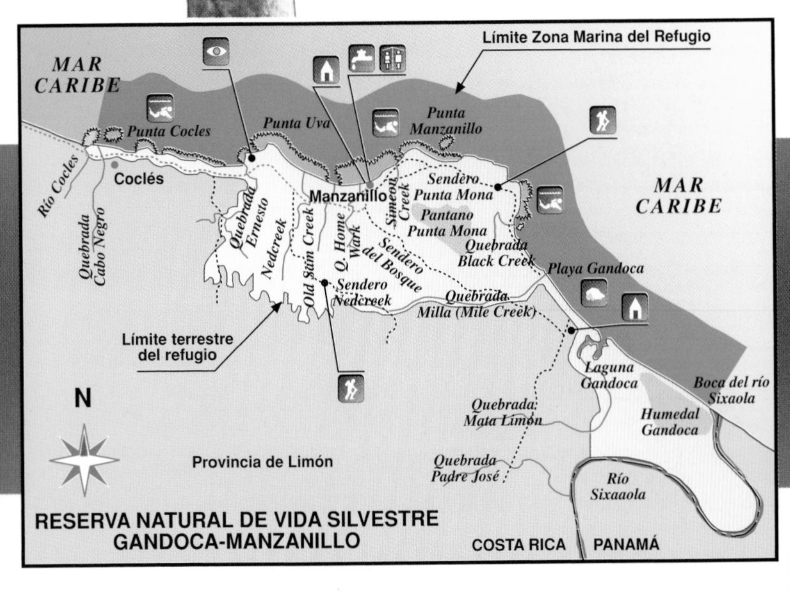

Playa de Puerto Viejo • Puerto Viejo Beach

el papaturro o uva de playa *(Coccoloba uvifera).* Al sureste del refugio se localiza el estero de Gandoca, donde existe un importante manglar dominado por el mangle rojo *(Rhizophora mangle).* En este lugar hay un banco de ostiones *(Crassostrea rhizophorae),* desova entre otras muchas especies el pez sábalo *(Tarpon atlanticus)* y se pueden observar los amenazados manatíes *(Trichechus manatus).*

El refugio protege diversas especies de animales que arrecifes, entre ellos el pez ángel reina *(Holocanthus ciliaris),* el pez ángel *(Pomacanthus paru)* y el loro azul *(Scarus coeruleus).* En el área marina es muy abundante el pasto de tortuga *(Thalassia testudinum)* que forma extensas praderas a poca profundidad.

El paisaje de tierras bajas y colinas que no superan los 115 metros de altura está tapizado en más de un 60% por bosques lluviosos tropicales, mientras que el resto se encuentra ocupado por pastizales y cultivos. En estos bosques la especie dominante es el cativo *(Prioria copaifera)* y en el sotobosque abundan las platanillas o heliconias *(Heliconia* spp.). Al sur de las puntas Manzanillo y Mona existe un pantano de unas 400 hectáreas, con una gran riqueza en aves acuáticas, que protege la única asociación que existe en Costa Rica de palma yolillo *(Raphia taedigera)* y el árbol orey *(Campnosperma panamensis).*

La vegetación de playa está formada básicamente por el cocotero *(Cocos nucifera)* y

EL TUCÁN PIQUIVERDE

El tucán piquiverde *(Ramphastos sulfuratus),* denominado también curré negro, es un ave grande que se caracteriza por su negro plumaje que contrasta notablemente con las plumas amarillas de su pechera. Su largo y poderoso pico es de color verde amarillento y azul verdoso, con la punta marrón rojiza. Una característica línea negra recorre la base del pico. Esta especie, que vive desde México a Venezuela, es bastante común en las regiones boscosas de las bajuras del Caribe, aunque también se localiza en el Valle Central y en la vertiente pacífica.

Vive en las partes más altas del estrato arbóreo en pequeños bandos de hasta media docena de individuos. Es básicamente frugívoro, formando parte de su alimentación las frutas silvestres, las bayas, y los almendros de playa. Complementa su dieta con insectos y otros pequeños invertebrados, lagartijas, pequeñas culebras, pichones y huevos de otras aves. Cuando atrapa un alimento con la punta del pico echa la cabeza hacia arriba para que éste descienda hasta la garganta. Se acerca a los bordes de los bosques en busca de alimento con un vuelo ondulante, caracterizado por varios aletazos rápidos seguidos de un planeo con las alas extendidas, para volver de nuevo a aletear.

Emite un interminable graznido áspero y monótono, mientras mueve su cabeza y pico en todas direcciones. Su actitud agresiva la manifiesta con un corto castañeo seco y agudo. Para nidificar escoge habitualmente una gran cavidad natural de un árbol, a bastante altura, cuyo fondo lo cubre de semillas regurgitadas. Allí, de enero a mayo deposita de tres a cuatro huevos que son incubados por ambos progenitores. Los pollos nidícolas, nacen desnudos e indefensos, y sus padres se encargan de alimentarlos hasta que son volanderos.

Hundreds of lovely colorful fish enliven the coral reefs, including the queen angelfish *(Holocanthus ciliaris)*, angel fish *(Pomacanthus paru)* and blue parrot fish *(Scarus coeruelus)*. Turtle grass *(Thalassia testudinum)* is very common in the marine area, forming extensive meadows in fairly shallow water.

The landscape of the lowlands and hills not exceeding 115 meters is more than 60% covered in tropical rainforest, while the rest is

Playa de Manzanillo • Manzanillo Beach

THE KEEL-BILLED TOUCAN

The keel-billed toucan *(Ramphastos sulfuratus)*, known in Spanish as *tucán piquiverde* or *curré negro*, is a large bird whose black plumage is in sharp contrast to the yellow feathers on its breast. Its long powerful beak is yellowish green and greeny blue with a reddish brown tip. There is a characteristic black along the base of the beak. This species, which lives from Mexico to Venezuela, is quite common in the forested regions of the lowlands of the Caribbean although it is also found in the Valle Central and on the Pacific slope.

It lives in the highest parts of the tree stratum in small flocks of up to half a dozen birds. Its basically fruit-based diet consists of wild fruits, berries and 'almendros de playa'. It complements its diet with insects and other small invertebrates, lizards, small snails, the young and eggs of other birds. When it catches food in the end of its beak, it throws back its head so the food goes down its throat. It forages along the forest edges with undulating flight characterized by several rapid wingbeats followed by a glide with the wings outstretched, and then it flaps again.

It emits a long rasping and monotonous squawk, while moving its head and beak in all directions and shows aggression with a short sharp clacking. To nest, it normally chooses a large natural cavity in a tree, quite high up, and then covers the bottom in regurgitated seeds.

Between January and May it lays three or four eggs, which are incubated by both parents. Naked and defenseless when they hatch, the nest-bound chicks are fed by their parents until they fledge.

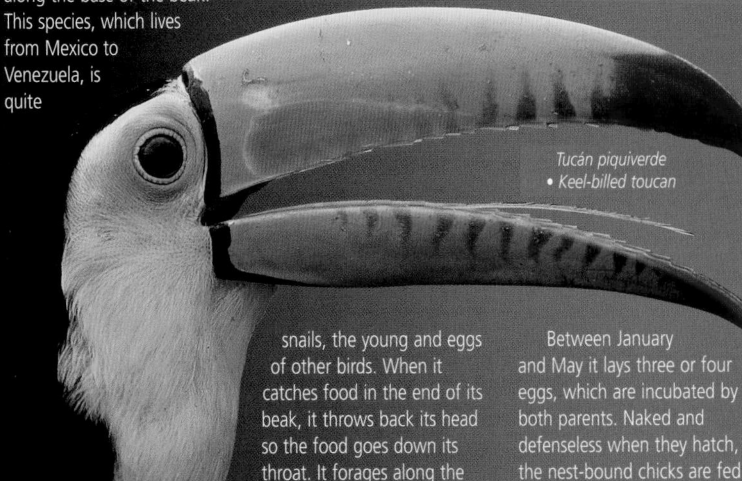

Tucán piquiverde • Keel-billed toucan

INFORMACIONES PRÁCTICAS

- **Localización:** en el extremo sureste del país, en la provincia de Limón, cerca de la frontera con Panamá, sobre la costa del Caribe.
- **Accesos:** existen dos rutas: una carretera pavimentada y lastrada de 73 km: Limón-Cahuita-Puerto Viejo-Manzanillo y otra que llega al sector oriental de 106 km: Limón-Bibrí-Margarita-Gandoca, también por carretera pavimentada y lastrada.
- **Servicios:** la Administración se localiza en Gandoca en donde existen pocos servicios. Desde Manzanillo se puede acceder fácilmente al pantano y a alguna de las playas.
- **Alojamiento:** en Puerto Viejo y sus alrededores y en Manzanillo existen hoteles, pensiones y restaurantes.
- **Direcciones de interés:** para cualquier tipo de información dirigirse a la Administración del refugio en Manzanillo, Telf./fax: (506) 754-2133.

Momoto picoancho • Broad-billed motmot

están en extinción en Costa Rica como la danta *(Tapirus bairdii)* y el cocodrilo *(Crocodylus acutus)*. La avifauna es muy variada y a las numerosas aves marinas hay que añadir otras como el tucán piquiverde *(Ramphastos sulfuratus)*, el águila-azor galana *(Spizaetus ornatus)*, la amazona frentirroja *(Amazona autumnalis)*, la cotorra catana *(Pyrrhura hoffmani)*, el momoto picoancho *(Electron platyrhynchum)* y el arasarí acollarado *(Pteroglossus torquatus)*.

Basilisco • Basilisk

Cocoteros • Coconut palms

PRACTICAL INFORMATION

- **Location:** at the south-eastern end of the country in Limón province near the border with Panama on the Caribbean coastline.
- **Access:** there are two routes: 1) an ashpalted and paved road for 73 km Limón-Cahuita-Puerto Viejo-Manzanillo; and 2) one that goes to the eastern sector (106 km) along the route Limón-Bibrí-Margarita-Gandoca also via an asphalted and paved road.
- **Services:** the few services available are in the administration offices in Gandoca. From Manzanillo it is easy to access the swamp and some of the beaches.
- **Accommodation:** in Puerto Viejo and surrounding area and in Manzanillo there are hotels, guest houses *(pensiones)* and restaurants.
- **Useful addresses:** for all information, contact the administration of the refuge in Manzanillo on Tel./fax: (506) 754-2133.

occupied by grazing land and arable fields. The dominant species in those forests is the cativo *(Prioria copaifera)*, and in the undergrowth there are lots of heliconias *(Heliconia* spp.). In the south at Manzanillo Point and Mona Point there is a 400-hectare swamp with a great wealth of aquatic birds. It protects the only association of raffia palm *(Raphia taedigera)* and sajo *(Campnosperma panamensis)* in Costa Rica.

The beach vegetation is basically formed by the coconut palm *(Cocos nucifera)* and the sea grape *(Coccoloba uvifera)*. In the southeast of the refuge there is the mouth of the Gandoca, with a large mangrove swamp where red mangrove *(Rhizophora mangle)* predominates. There is a bank of oysters *(Crassostrea rhizophorae)* and many other species, including tarpon *(Tarpon atlanticus)* and the threatened manatee *(Trichechus manatus)* can be spotted.

The refuge protects diverse animal species that are threatened with extinction in Costa Rica, such as Baird's tapir *(Tapirus bairdii)* and the American crocodile *(Crocodylus acutus)*. Besides the many seabirds, the very varied birdlife includes keel-billed toucan *(Ramphastos sulfuratus)*, ornate hawk eagle *(Spizaetus ornatus)*, red-lored parrot *(Amazona autumnalis)*, sulfur-winged parakeet *(Pyrrhura hoffmani)*, broad-billed motmot *(Electron platyrhynchum)* and collared aracari *(Pteroglossus torquatus)*.

Rana (g. Dendrobates) • *Frog* (g. Dendrobates)

Mielero patirrojo • Red-legged honeycreeper

Sapo de mar • Marine toad

PARQUE INTERNACIONAL LA AMISTAD

Cordillera de Talamanca • Talamanca Range

Esta gran área protegida de 258.546 hectáreas se extiende por una gran parte de la cordillera de Talamanca, el sistema montañoso más extenso de América Central. Fue declarada por la UNESCO Reserva de la Biosfera en 1982 y, junto al parque internacional panameño del mismo nombre, Sitio del Patrimonio Mundial en 1983. Está formada por cinco áreas protegidas principales: el Parque Nacional Tapantí (1992) con 5.155 ha, el Parque Nacional Chirripó, creado en 1975 con 50.920 ha, la Reserva Biológica Hitoy Cerere, establecida en 1978 con 9.950 ha, el Parque Nacional Barbilla, creado en 1998 con 11.944 ha, y el Parque Internacional La Amistad (1982) con 174.881 ha. A ellas hay que añadir algunas reservas forestales e indígenas.

Este megaparque es la región de mayor diversidad biológica del país y constituye el bosque natural más grande de Costa Rica. Es extraordinario el número de hábitats que alberga, producto de las diferencias altitudinales, de la variedad de suelos, de la climatología y de la topografía.

Los páramos que se extienden a partir de los 2.900 m de altitud tienen una gran afinidad con los páramos andinos. Consisten en un bosque achaparrado en los que abunda la batamba *(Chusquea subtessellata)*, una especie de bambú. Las ciénagas, que se encuentran restringidas a pequeñas áreas situadas a gran altitud, están formadas por comunidades herbáceas y arbustivas que se desarrollan sobre suelos ácidos. Los madroñales, constituidos por el madroño enano *(Comarostaphylis arbutoides)* como especie principal, ocupan extensas áreas en las partes altas. Los robledales están formados básicamente por enormes árboles de roble negro *(Quercus costaricensis)* y roble blanco *(Quercus copeyensis)* tapizados de epífitas. Los helechales, que forman asociaciones muy densas, se encuentran dominados por el helecho *Lomaria* spp. que alcanza los dos metros de altura, y el esfagno *Sphagnum* spp.

Los bosques mixtos o bosques nubosos, altos y muy húmedos, tapizan la mayor parte del área protegida y se caracterizan por su elevada complejidad florística. Algunos de los árboles más grandes, que pueden alcanzar hasta los 60 metros de altura, son el cedro dulce *(Cedrela tonduzii)*, el ciprés lorito *(Podocarpus oleifolius)*, el amarillón *(Terminalia amazona)*

Los Crestones. P. N. Chirripó • Los Crestones. Chirripó N. P.

LA AMISTAD INTERNATIONAL PARK

This great protected area of 258,546 hectares extends over a large part of the Cordillera de Talamanca, the most extensive mountain system in Central America. It was declared a UNESCO Biosphere Reserve in 1982 and, along with Panama's international park of the same name, a World Heritage Site in 1983. It consists of five main protected areas: Tapantí National Park (1992) covering 5,155 ha, Chirripó National Park set up in 1975 on 50,920 ha of land, Hitoy Cerere Biological Reserve created in 1978 on 9,950 ha, the 11,944-hectare Barbilla National Park dating from 1998 and La Amistad International Park (1982), which covers 174,881 ha. There are also a few forest reserves and Indian reservations.

Cascada en Hitoy Cerere • Waterfall in Hitoy Cerere

This huge park is the region with the greatest biodiversity as well as the largest natural forest in Costa Rica. It contains an extraordinary number of habitats thanks to the differences in altitude, soil types, climate and topography.

The *páramos* lying above 2,900 m have a great affinity with those of the Andes Mountains. They consist of low thick woodland with lots of batamba *(Chusquea subtessellata),* a kind of bamboo. The swamps, which are restricted to small high altitude areas, consist of communities of grasses and shrubs growing on acid soils. Stands of vegetation in which dwarf *madroño (Comarostaphylis arbutoides)* is the main species, occupy extensive areas in the upper reaches. Stands of oak forest basically consist of huge oaks *(Quercus costaricensis* and *Quercus copeyensis)* carpeted in epiphytes. The tracts of ferns making up very thick associations are dominated by *Lomaria* spp. ferns up to two meters tall and moss *Sphagnum* spp.

The main feature of the high and very wet mixed forests or cloud forests that cover most of the protected area is the very complex and varied flora. The tallest trees, up to 60 meters high, include sweet cedar *(Cedrela tonduzii),* white cypress *(Podocarpus oleifolius),* amarillón *(Terminalia amazona),* and magnolia *(Magnolia poasana).* In open areas, hillsides and river banks there are lots of poorman's umbrella *(Gunnera insignis).* The moist evergreen forests are very thick, comprise several strata and contain a great wealth of species, including crabwood *(Carapa guianensis),* guayabón *(Terminalia oblonga)* and the Santa María *(Calophyllum brasiliense).* Some trees, such as the silk cotton tree *(Ceiba pentandra),* grow beyond the forest canopy, 40 meters high. The Cordillera de Talamanca has one of the highest rates of endemic flora in the country, one example being *Puya dasyrilioides,* which belongs to a genus of Andean origin.

The wildlife is extraordinarily diverse. The International Park is estimated to contain over 60% of all the vertebrates and invertebrates in Costa Rica. The six species of cats found in Costa Rica live

Volcán Irazú
Turrialba
PUERTO LIMÓN
MAR CARIBE
SAN JOSÉ
CARTAGO
Cerro Matama
San Andrés
Santa María
Bri bri
Cerro Chirripó
Cerro de la Muerte
Puerto Quepos
Rivas
Cerro Durika
SAN ISIDRO
Cerro Kamuk
PANAMÁ
Dominical
San Pedro
Uvita
BUENOS AIRES
Albergue Monte Amúo
RESERVA DE LA BIOSFERA LA AMISTAD
ALTAMIRA
Pittier
Potrero Grande
Progreso
Puerto Cortés
San Vito
OCEÁNO PACÍFICO
PANAMÁ
Río Chirripocillo
Fila Norte
Fila de Matama
Cerros Cuerecí
Villa Mills
Siberia
Cordillera de Talamanca
Río Chirripó
Río Buena Vista
Río Broi
Cerro Urán
Piedra
Río Blanco
Río Blanco
Buena Vista
Cerro Chirripó Grande 3.820 m
Río Dikebi
Herradura
Río Chirripó Pacífico
Río Bosín
Hortensia
San Gerardo
Río Skú
La Ese
Pueblo Nuevo
Canaan
Fila Cementerio de Máquina
Cerro Amó
Cerro Uruk
Rivas
Río Chucuyo
Río San Rafael
Cerro Amí
Río Araba
San Rafael Norte
Fila Canforro
Fila Sapo
Río Peñas Blancas
SAN ISIDRO
Río San Pedro
PARQUE NACIONAL CHIRRIPÓ
A Si
Casa de la Fundación "Nairi"
Hasta aquí en vehículo
Río Dantas
Queb. Ol
PARQUE NACI
BARBILLA

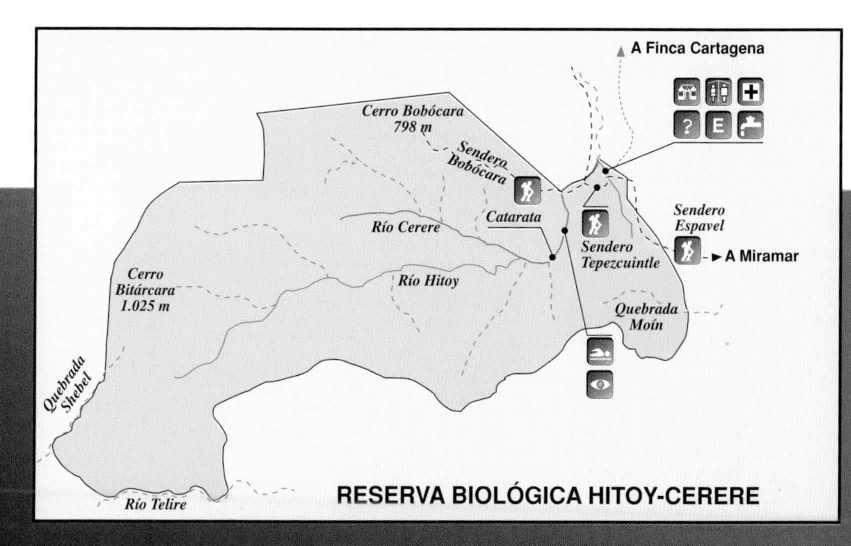
A Finca Cartagena
Cerro Bobócara
798 m
Sendero Bobócara
Catarata
Río Cerere
Sendero Tepezcuintle
Sendero Espavel
A Miramar
Cerro Bitárcara
1.025 m
Río Hitoy
Quebrada Moín
Quebrada Shebel
Río Telire
RESERVA BIOLÓGICA HITOY-CERERE

NICARAGUA
Mar Caribe
San José
Océano Pacífico
PANAMÁ
Ubicación geográfica del Parque
MAPA DE COSTA RICA

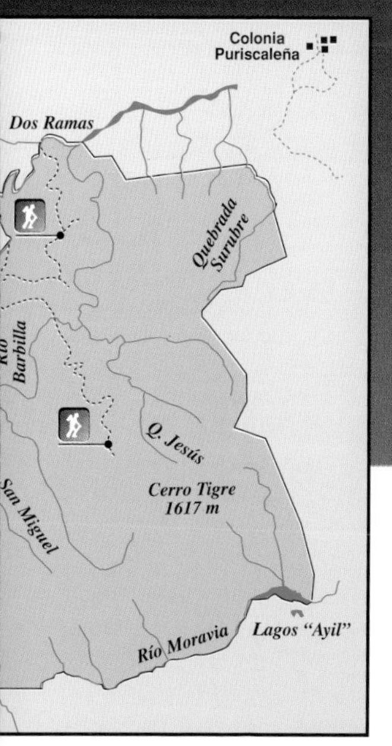
Colonia Puriscaleña
Dos Ramas
Quebrada Surubre
Río Barbilla
Q. Jesús
Cerro Tigre
1617 m
San Miguel
Río Moravia
Lagos "Ayil"

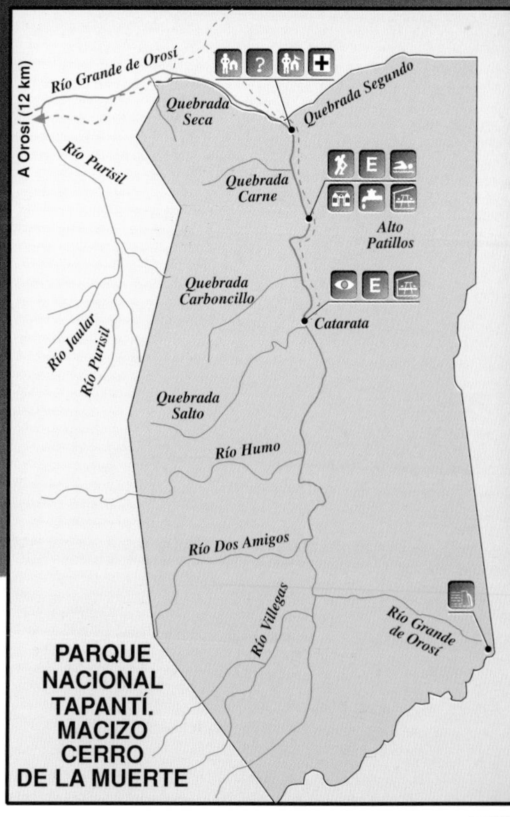
A Orosí (12 km)
Río Grande de Orosí
Quebrada Segundo
Quebrada Seca
Río Purisil
Quebrada Carne
Alto Patillos
Quebrada Carboncillo
Catarata
Río Jaular
Río Purisil
Quebrada Salto
Río Humo
Río Dos Amigos
Río Villegas
Río Grande de Orosí
PARQUE NACIONAL TAPANTÍ. MACIZO CERRO DE LA MUERTE

P. N. Tapantí • Tapantí N. P.

y la magnolia o candelillo *(Magnolia poasana)*. En las áreas abiertas, taludes y orillas de los ríos crece con abundancia la sombrilla de pobre *(Gunnera insignis)*.

Los bosques húmedos siempreverdes son muy densos, compuestos por varios estratos y con una gran riqueza de especies entre las que se encuentra la caobilla *(Carapa guianensis)*, el guayabón *(Terminalia oblonga)* y el María *(Calophyllum brasiliense)*. Algunos árboles como el ceiba *(Ceiba pentandra)* superan el dosel forestal de 40 metros de altura. La cordillera de Talamanca es una de las áreas con un mayor grado de endemismo florístico del país. Un ejemplo lo constituye la *Puya dasyrilioides*, cuyo género es de origen andino.

La fauna es extraordinariamente diversa, estimándose que en el parque internacional se encuentran más del 60% de todos los vertebrados e invertebrados de Costa Rica. Están presentes las seis especies de felinos que viven en el país y aquí se encuentra la población de dantas *(Tapirus bairdii)* más importante de Costa Rica. La nutria *(Lutra longicaudus)*, el serafín del platanar *(Cyclopes didactilus)*, el cacomistle *(Bassariscus sumichrasti)* y el olingo *(Bassaricyon gabbii)* poseen, entre otros, poblaciones estables en este megaparque.

Se han observado alrededor de 400 especies de aves, entre ellas el majestuoso quetzal *(Pharomachrus mocinno)*, la arpía menor *(Morphnus guianensis)*, el trogón elegante *(Trogon elegans)* y el tinamú oliváceo *(Tinamus major)*. El censo de anfibios y reptiles es de 263 especies, siendo las más comunes la salamandra montañera *(Bolitoglossa subpalmata)* y la lagartija *Gerrhonotus monticolus*. Las mariposas son muy abundantes, con bellísimos ejemplares del género *Morpho*.

EL TAPIR

La danta o tapir *(Tapirus bairdii)* es el mamífero terrestre más grande de América Central. Es una especie en peligro de extinción ya que sus poblaciones han sufrido una enorme presión cinegética que ha hecho que desaparezcan de muchas zonas de Costa Rica. Se sabe que antes de la aparición de las armas de fuego se encontraba tanto en las zonas pantanosas de los manglares como en los bosques de bambú de la cordillera de Talamanca a más de 3.000 metros de altitud.

Un animal adulto pesa entre 150 y 300 kg. Se caracteriza por su aspecto robusto y sus patas cortas y fuertes, las delanteras con tres dedos grandes y las traseras con un dedo grande central y, a ambos lados, dos dedos grandes y uno pequeño. La cola es corta. Su rasgo anatómico más sobresaliente es una pequeña proboscis formada por su labio que utiliza para arrancar hojas y ramas y llevarse los alimentos a la boca. Los jóvenes son de color pardo con manchas y rayas claras.

El tapir es un mamífero muy esquivo con el sentido del oído y del olfato muy desarrollados. Vive generalmente en solitario y los jóvenes acompañan a su madre hasta un año después de su nacimiento. Se mueven a través de trochas, desplazándose por ellas a gran velocidad si es necesario. Las charcas de agua, a las que se acercan a beber, son el lugar idóneo para ser observados tanto de día como de noche. Su dieta vegetal está formada por frutas silvestres, semillas, hojas y ramitas.

Laguna Las Morenas, P. N. Chirripó • Las Morenas lagoon, Chirripó N. P.

BAIRD'S TAPIR

Baird's tapir *(Tapirus bairdii)* is the largest land mammal in Central America. It is a threatened species as its populations have been under enormous pressure from hunting, which has led to its disappearance in many parts of Costa Rica. Before disappearing, it is known to have occurred both in the mangrove swamps and the bamboo forests of the Cordillera de Talamanca at an altitude of over 3,000 meters.

An adult weighs between 150 and 300 kg. They are robust and have short strong legs. The front feet have three large toes while the back ones have one large middle toe with two big toes and one small one on each side. It has a short tail. Its most outstanding anatomical trait is a small proboscis formed by its lip, which it uses to grub up and eat leaves and branches. The young are dark with light patches and stripes.

The tapir is a very elusive mammal with a highly developed sense of hearing and smell. It usually lives alone and the young accompany their mother for a year after their birth. They move along narrow tracks, very quickly if need be. The pools of water where they drink are the ideal place to spot them by day or night. Their vegetarian diet consists of wild fruits, seeds, leaves and small branches.

P. N. Tapantí • Tapantí N. P.

Tapir • Baird's tapir

there, along with the largest population of Baird's tapir *(Tapirus bairdii)* in the country. Otter *(Lutra longicaudus)*, silky anteater *(Cyclopes didactilus)*, cacomistle *(Bassariscus sumichrasti)* and olingo *(Bassaricyon gabbii)* occur in stable numbers in this enormous park.

Around 400 species of birds have been identified, including the resplendent quetzal *(Pharomachrus mocinno)*, crested eagle *(Morphnus guianensis)*, elegant trogon *(Trogon elegans)* and great tinamou *(Tinamus major)*. The list of amphibians and reptiles runs to 263 species, the most common being the salamander *(Bolitoglossa subpalmata)* and lizard *Gerrhonotus monticolus*. There are lots of butterflies, with very lovely specimens of the genus *Morpho*.

P. N. Tapantí • Tapantí N. P.

P. N. TAPANTÍ. MACIZO CERRO DE LA MUERTE • INFORMACIONES PRÁCTICAS

- **Localización:** en la vertiente norte de la cordillera de Talamanca, 20 km al sureste de la ciudad de Cartago, a una altitud entre los 1.200 y los 2.540 m. En su mayor parte está rodeado por la Reserva Forestal Río Macho de 22.577 ha.
- **Accesos:** desde la ciudad de Cartago, que dista 22 km de San José, por una carretera que sigue la ruta Cartago-Paraíso-Orosí-Río Macho-Tapantí-Administración (27 km). Existe un servicio de autobuses de Cartago a Río Macho, a 5 km de la Administración.
- **Servicios:** permanece abierto de 08´00 a 16´00. En el parque hay un centro de información, un centro de visitantes, estacionamiento para vehículos, una zona para el almuerzo con servicios sanitarios y agua potable. Los cinco senderos principales son: el de La Catarata, el de los Árboles Caídos, el de La Pava, el de La Oropéndola y el Pantanoso.
- **Alojamiento:** en la ciudad de Cartago existe una amplia oferta hotelera. En la Administración hay un albergue para 15 personas.
- **Direcciones de interés:** para cualquier tipo de información dirigirse a la Administración del parque, Telf./fax: (506) 200-0090, (506) 551-2970; e-mail: guarco@minae.go.cr

Serpiente oropel • Oropel snake

Parque Nacional Tapantí

Es una de las áreas más lluviosas de Costa Rica, con precipitaciones entre los 7.000 y los 8.000 mm anuales. El área está atravesada por el río Grande de Orosí y sus numerosos tributarios. Su curso a través del acueducto de Orosí proporciona agua

P. N. CHIRRIPÓ • INFORMACIONES PRÁCTICAS

- **Localización:** en la divisoria de aguas de la cordillera de Talamanca, al noroeste de San Isidro de El General, a una altitud entre los 1.400 y los 3.819 m sobre el nivel del mar.
- **Accesos:** la Administración del parque se localiza en las proximidades de San Gerardo de Rivas, a 18 km al noreste de San Isidro de El General por la ruta Rivas-Chimirol. La localidad de San Gerardo dista 152 km de San José. Existen servicios de autobús San José-San Isidro y San Isidro-San Gerardo.
- **Servicios:** el parque está abierto desde las 08´00 a las 16´00. En San Gerardo se pueden contratar guías y alquilar caballos. El ascenso desde San Gerardo hasta Chirripó puede hacerse por dos caminos, el de San Gerardo-Crestones y el de Herradura-Crestones, denominado el Cementerio de la Máquina. Existen tres refugios en el parque donde se puede pernoctar: el Refugio Llano Bonito, el Refugio Natural Monte Sin Fe y el Refugio en la base de Los Crestones con capacidad para 60 personas. Los senderos principales son: Circuito, Crestones, Sabana Los Leones, Ventisquero, Sendero Principal, Herradura y Cerro Urán, Valle de las Morrenas, Laguna Ditrevi y Lagos de Origen Glaciar.
- **Alojamiento:** en San Isidro hay hoteles, restaurantes y supermercados y en San Gerardo pensiones, restaurantes y pulperías.
- **Direcciones de interés:** para todo tipo de información dirigirse a la Administración del parque, Telf.: (506) 771-4836; fax: (506) 771-3297; e-mail: acla-p@minae.go.cr; o puede dirigirse a la Base Crestones, Telf.: (506) 770-8040 (de 8 a 12 a.m.). Para reservaciones de hospedaje, Telf.: (506) 742-5083.

TAPANTÍ N. P. MACIZO CERRO DE LA MUERTE • PRACTICAL INFORMATION

- **Location:** it lies on the northern slope of the Cordillera de Talamanca 20 km to the south-east of the city of Cartago at an altitude of between 1,200 and 2,540 m. It is largely surrounded by the 22,577-hectare Río Macho Forest Reserve.
- **Access:** from the city of Cartago 22 km from San José along a road that follows the route Cartago-Paraíso-Orosí-Río Macho-Tapantí-Administration (27 km). There is a bus service from Cartago to Río Macho, 5 km from the administration building.
- **Services:** open from 08'00 to 16'00. In the park there is an information center, visitor center, car park, picnic area with toilets and drinking water. The five main trails are: La Catarata, Los Árboles Caídos, La Pava, La Oropéndola and El Pantanoso.
- **Accommodation:** in Cartago city there is a wide range of accommodation. In the administration area there is a hostel for 15 people.
- **Useful addresses:** for all information, please contact the park administration on Tel./fax: (506) 200-0090, (506) 551-2970; e-mail: guarco@minae.go.cr

Tapantí National Park

This area, one of the wettest areas in Costa Rica, with precipitation between 7,000 and 8,000 mm annually, is crossed by the River Grande de Orosí and its many tributaries. Flowing along the Orosí Aqueduct, it supplies drinking water to more than

Cerro de la Muerte, P. N. Tapantí • Cerro de la Muerte, Tapantí N. P.

CHIRRIPÓ N. P. • PRACTICAL INFORMATION

- **Location:** in the watershed of the Cordillera de Talamanca to the north-west of San Isidro de El General at between 1,400 and 3,.819 m above sea level.
- **Access:** the park administration is located in the environs of San Gerardo de Rivas 18 km to the north-east of San Isidro de El General along the Rivas-Chimirol road. The locality of San Gerardo is 152 km from San José. There are bus services running between San José and San Isidro as well as San Isidro to San Gerardo.
- **Services:** The park is open from 08'00 to 16'00. Guides and horses can be hired in San Gerardo. The trip up from San Gerardo to Chirripó can be made either along the San Gerardo-Crestones road or the Herradura-Crestones road, known as the 'Cementerio de la Máquina'. The park has three refuges where it is possible to spend the night: Refugio Llano Bonito, Refugio Natural Monte Sin Fe and one at the foot of Los Crestones, which holds 60 people. The main trails are: Circuito, Crestones, Sabana (Savannah) Los Leones, Ventisquero, Sendero Principal (Main Trail), Herradura and Cerro (Hill) Urán, Valle de las Morrenas (Moraine Valley), Laguna (Lagoon) Ditrevi and Lagos de Origen Glaciar (Glaciar Lakes).
- **Accommodation:** in San Isidro there are hotels, restaurants and supermarkets, and in San Gerardo guest houses, restaurants and grocery stores.
- **Useful addresses:** for all information, contact the park administration on Tel.: (506) 771-4836; fax: (506) 771-3297; e-mail: acla-p@minae.go.cr; alternatively, contact the Base Crestones on Tel.: (506) 770-8040 (8 to 12 a.m.). For reservations, Tel.: (506) 742-5083.

R.B. HITOY-CERERE • INFORMACIONES PRÁCTICAS

- **Localización:** en las estribaciones de la Cordillera de Talamanca, a 67,5 km al sur de la ciudad de Limón. Está rodeada de las reservas indígenas Tayni, Telire y Talamanca.
- **Accesos:** desde Limón se toma la carretera hacia Cahuita desviándose a la altura de Penshurt, tras atravesar el río Estrella. De ahí a la Guaria, Pandora-Valle La Estrella-Administración. Existen autobuses Limón-Valle de la Estrella. En esta última población pueden alquilarse taxis.
- **Servicios:** la Administración se localiza al borde de la reserva, a 5 km de la finca Cartagena. Allí hay agua potable, servicios sanitarios, caseta de información, alojamiento para diez personas, cocina, comedor y sala de conferencias. Además del Sendero de la Catarata (dos cataratas sobre el río Hitoy) existen el sendero Bobocara que conduce al cerro del mismo nombre y los senderos Tepezcuintle y Espavel que conducen al interior del bosque primario. La reserva se abre de 08´00 a 16´00 horas.
- **Alojamiento:** en Limón existe una amplia oferta hotelera y en el Valle de la Estrella pensiones y pulperías.
- **Direcciones de interés:** para cualquier tipo de información dirigirse a la Administración de la reserva, Telf./fax: (506) 795-1446.

potable a más de 600.000 personas del Valle Central y genera una importante producción hidroeléctrica en la presa de Río Macho y en la planta de Cachí. En su paisaje son espectaculares sus quebradas y sus cascadas y caídas de agua.

Líquenes, P. N. Tapantí • Lichens, Tapantí N. P.

Parque Nacional Chirripó

Uno de los rasgos geomorfológicos más importantes de este parque nacional son las diversas manifestaciones glaciares que se conservan prácticamente intactas, como pequeños valles en forma de U, morrenas terminales y lagos y circos que se formaron hace unos 35.000 años por la acción del movimiento de las masas de hielo. En el área protegida se encuentra el pico Chirripó que con 3.819 m de altitud es el pico más alto del país. Además, existen en la parte superior del parque una serie de áreas de una gran belleza paisajística y de importancia geológica y biológica: la Sabana de los Leones, el Valle de las Morrenas, el Cerro Ventisqueros, el Valle de los Conejos y el Valle de los Lagos con el lago Chirripó, Los Crestones y el alejado Cerro Urán.

Colibrí volcanero • Volcano hummingbird

Reserva Biológica Hitoy Cerere

Con una pluviosidad media anual entre los 4.000 y los 6.000 mm, la reserva biológica está tapizada por bosques muy húmedos tropicales y bosques pluviales

HITOY-CERERE B.R. • PRACTICAL INFORMATION

- **Location:** in the foothills of the Cordillera de Talamanca, 67.5 km to the south of the city of Limón. It is surrounded by reservations of the Tayni, Telire and Talamanca indigenous groups.
- **Access:** from Limón, take the highway to Cahuita and turn off at Penshurt after crossing the River Estrella. From there to La Guaria, Pandora-Valle La Estrella-Administration. There are buses running between Limón and Valle de la Estrella. Taxis can be hired in Valle de la Estrella.
- **Services:** the Administration is situated at the edge of the reserve 5 km from Finca Cartagena. There is drinking water, toilets, an information kiosk, accommodation for ten people, a kitchen, dining room and meeting room. Besides the Sendero (Trail) de la Catarata (two waterfalls on the River Hitoy), there is the Bobocara Trail leading to the hill of the same name and the Tepezcuintle and Espavel Trails that lead into the interior of the primary forest. The reserve is open from 08'00 to 16'00 hours.
- **Accommodation:** in Limón there are many kinds of accommodation, and Valle de la Estrella has guest houses and grocery stores.
- **Useful addresses:** For all information, contact the reserve administration on Tel./fax: (506) 795-1446.

600,000 people in the Valle Central and generates a large output of hydroelectric power at the Río Macho Dam and the Cachí Station. The scenery includes spectacular gorges and waterfalls.

Chirripó National Park

The most important geomorphological characteristics in this national park are the various examples of virtually intact glacial features such as small U-shaped valleys, terminal moraines, lakes and cirques that formed about 35,000 years ago due to the action of moving ice masses. The 3,819 meters of Chirripó peak in the protected area make it the highest in the country. Also, the upper part of the park contains a series of areas of great scenic beauty and geological and biological importance; namely, Sabana de los Leones, Valle de las Morrenas, Cerro Ventisqueros, Valle de los Conejos and Valle de los Lagos with Lake Chirripó, Los Crestones and distant Cerro Urán.

Hitoy Cerere Biological Reserve

With annual average rainfall between 4,000 and 6,000 mm this biological reserve is covered in very moist tropical forests and premontane rainforests that grow from 100 meters to the 1,025 m of Cerro Bitárcara. The Rivers Hitoy ('fleecy' in the Bribri language) and Cerere ('pale') flow across it and join up inside the

Valle de los Crestones, P. N. Chirripó • Los Crestones Valley, Chirripó N. P.

P. N. BARBILLA • INFORMACIONES PRÁCTICAS

- **Localización:** en las provincias de Limón y Cartago, al suroeste de la ciudad de Limón.
- **Accesos:** por la carretera de Limón a Siquirres, 3 km antes de esta última población se encuentra la entrada principal. Por una carretera de lastre de 17 km se llega al caserío Las Brisas de Pacuarito donde se encuentra la Administración.
- **Servicios:** en la Administración hay agua potable y servicios sanitarios. Desde allí salen una serie de senderos no señalizados (por lo que conviene conseguir un guía local), que conducen al río Dantas, de una gran belleza escénica, al sector Dos Ramas, confluencia de ríos y quebrados, al cerro Tigre, considerado por los indígenas como un lugar sagrado y al que debido a su acceso restringido sólo se puede llegar con un guía indígena, y a la laguna Ayil, de 80 ha, que destaca por la abundancia de aves acuáticas.
- **Alojamiento:** en Siquirres hay hoteles, pensiones, restaurantes y supermercados. La Administración tiene una capacidad de hospedaje para 12 personas.
- **Direcciones de interés:** para cualquier información dirigirse a la Oficina Subregional Siquirres, Telf.: (506) 396-7611, (506) 768-5341, (506) 768-7643; fax: (506) 768-8603; e-mail: aclac@minae.go.cr

Laguna de San Juan, P. N. Chirripó • San Juan lagoon, Chirripó N. P.

premontanos que se instalan desde los 100 metros de altitud hasta los 1.025 m del cerro Bitárcara. Está atravesado por los ríos Hitoy ("lanoso" en lengua Bribri) y Cerere ("claro") que se unen en el interior del área protegida para formar un poco más adelante una espectacular catarata.

PARQUE NACIONAL BARBILLA

Entre los 110 y los 1.617 metros de altitud el parque está tapizado por una densa masa forestal virgen de bosque tropical lluvioso de bajura en el que predominan árboles como el fruta dorada *(Virola sebifera)* y la palma coquillo *(Astrocaryum alatum)*. Formado por colinas no muy altas, existen numerosas quebradas que desembocan en el río Barbilla que atraviesa el parque de sur a norte. El área protegida colinda con la Reserva Indígena de Chirripó donde habita el segundo grupo étnico más numeroso del país, el Cabécar, cuyos componentes hablan su propia lengua y se dedican a la caza, la pesca y a una agricultura de subsistencia.

BARBILLA N. P. • PRACTICAL INFORMATION

- **Location.** in the provinces of Limón and Cartago to the south-west of the city of Limón.
- **Access:** the main entrance is along the highway from Limón to Siquirres, 3 km before the latter town. Along a 17-kilometer paved road leading to the farmhouse called Las Brisas de Pacuarito, site of the administration offices.
- **Services:** in the administration offices there is drinking water and toilets. A series of paths start from there. As they are unmarked, it is advisable to hire the services of a local guide. They lead to the scenically very lovely River Dantas, the Dos Ramas sector, where rivers and gorges converge, to Cerro Tigre, regarded by the Indians as a sacred place and only accessible with an Indian guide, and to the 80-hectare Ayil Lagoon, outstanding for its many aquatic birds.
- **Accommodation:** in Siquirres, there are hotels, guest houses, restaurants and supermarkets. The administration has accommodation for 12 people.
- **Useful addresses:** for any information, contact the Oficina Subregional Siquirres on Tel.: (506) 396-7611, (506) 768-5341, (506) 768-7643; fax: (506) 768-8603; e-mail: aclac@minae.go.cr

P. N. Tapantí • Tapantí N. P.

protected area, forming a spectacular waterfall a little further on.

Barbilla National Park

Located at an altitude of between 110 and 1,617 meters, the park is carpeted in a thick mass of virgin tropical lowland rainforest in which trees such as banak *(Virola sebifera)* and coquillo palm *(Astrocaryum alatum)* predominate. Besides the relatively low hills, there are many gorges along which the River Barbilla flows across the park from south to north.

Río Coén, P. N. Tapantí • Coén River, Tapantí N. P.

Parque Internacional La Amistad

Es la mayor área silvestre protegida de Costa Rica y la que alberga una mayor biodiversidad. Su altitud oscila entre los 150 m en la vertiente caribeña hasta los 3.554 m del cerro Kamuk, próximo a la divisoria de las aguas continentales.
En él se encuentran selvas vírgenes, páramos pluviales y bosques húmedos, muy húmedos y nubosos. Protege las cuencas altas de ríos como el Estrella y el Sixaola, que desembocan en el Caribe, y del Térraba, que lo hace en el Pacífico. Fronterizos con Panamá ambos parques nacionales del mismo nombre están incluidos en la Lista del Patrimonio Mundial de la UNESCO.

Puma • Puma

P. N. Tapantí • Tapantí N. P.

PARQUE INTERNACIONAL LA AMISTAD • INFORMACIONES PRÁCTICAS

- **Localización:** en la cordillera de Talamanca, en sus vertientes pacífica y caribeña, al sur de Costa Rica, haciendo frontera con Panamá.
- **Accesos:** desde San José-Buenos Aires-Colorado-Altamira-Administración (270 km). Existen autobuses San José-San Vito que se detienen en Guácimo y también Guácimo-Altamira. Al Sector Estación Pittier se accede desde San Vito, población situada a 45 km.
- **Servicios:** el parque está abierto de las 08´00 a 16´00 horas. La Administración se encuentra en la estación Altamira donde existe una caseta de información, un albergue, una sala de exhibiciones, un anfiteatro, estacionamiento para vehículos, dos áreas para acampar, una zona techada de picnic, agua potable y servicios sanitarios. De él salen diversos senderos entre los que destacan el Sendero Valle del Silencio, de unos 20 km y unas 6 horas de recorrido que atraviesa el bosque nuboso; el Sendero Altamira-Sabanas Esperanzas, que se puede realizar a pie o a caballo y asciende a las sabanas naturales a 1.800 m pasando por un cementerio indígena, y el Sendero Gigantes del Bosque, donde a lo largo de tres kilómetros se asciende desde 1.300 m hasta los 1.500 m. Dura tres horas atravesando el bosque tropical y un observatorio de aves. En el Sector Estación Pittier existe en la Administración una casa rústica con 4 habitaciones y un área de cocina y comedor. Los senderos que de allí salen conducen a través del bosque húmedo tropical al cerro Pittier y a las cataratas Pittier.
- **Alojamiento:** en la propia Estación de Altamira.
- **Direcciones de interés:** para cualquier información dirigirse a la Administración del Parque Internacional, Telf.: (506) 771-4836, (506) 771-5116; fax: (506) 771-3297; e-mail: acl-p@minae.go.cr

LA AMISTAD INTERNATIONAL PARK • PRACTICAL INFORMATION

- **LOCATION:** in the Cordillera de Talamanca on its Pacific and Caribbean slopes in southern Costa Rica on the border with Panama.
- **ACCESS:** from San José-Buenos Aires-Colorado-Altamira-Administration (270 km). There are buses San José-San Vito, which stop in Guácimo and also Guácimo-Altamira. Access to the Pittier Station Sector is from the town of San Vito 45 km away.
- **SERVICES:** the park is open from 08'00 to 16'00 hours. The Administration is in the Altamira Station, where there is an information kiosk, a hostel, exhibition hall, amphitheater, car park, two camping sites, covered picnic area, drinking water and toilets. Various trails, including the Sendero Valle del Silencio, which is about 20 km long and taking about 6 hours, run across the cloud forest. The Altamira-Sabanas Esperanzas Trail can be done on foot or on horseback and leads up to natural savanna at an altitude of 1,800 m through an Indian cemetery. The Gigantes del Bosque Trail covers over three kilometers and rises from 1,300 m to 1,500 m, taking three hours through tropical forest. There is also a birdwatching hide. In the Pittier Station Sector there is the administration building, a rustic house with 4 bedrooms and a kitchen and dining area. The trails that start from there lead across moist tropical forest to Cerro Pittier and the Pittier Waterfall.
- **ACCOMMODATION:** at the Altamira Station.
- **USEFUL ADDRESSES:** for all information, contact the international park administration on Tel.: (506) 771-4836, (506) 771-5116; fax: (506) 771-3297; e-mail: acla-p@minae.go.cr

The protected area borders the Chirripó Indian Reservation, home to the second largest ethnic group in the country, the Cabécar, who speak their own language and engage in hunting, fishing and subsistence agriculture.

LA AMISTAD INTERNATIONAL PARK

The largest protected area in Costa Rica, this park boasts great biodiversity. Altitude varies between 150 m on the Caribbean slope and 3,554 m on Cerro Kamuk. It contains virgin jungle, wet *páramos* and moist, very moist and cloud forest. It protects the upper basins of rivers such as the Estrella and the Sixaola, which flow into the Caribbean, and the Térraba, which discharges into the Pacific. On the border with Panama, both national parks of the same name are included on UNESCO's World Heritage List.

R.B. Hitoy Cerere • Hitoy Cerere B.R.

PARQUE NACIONAL MARINO BALLENA

Creado en 1992 con una extensión de 172 hectáreas terrestres y 5.160 hectáreas marinas situadas en la costa pacífica costarricense, fue el primer parque marino de Latinoamérica. Entre Punta Piñuela y Punta Uvita se ha creado una plataforma de abrasión marina de la que emergen en la bahía los pequeños islotes de Ballena y de las Tres Hermanas.

Playa Piñuela • Piñuela beach

Uvita, una antigua isla, está conectada al continente por medio de un puente arenoso o tómbolo. De unos 50 metros de ancho y formada de una manera natural por la convergencia de las corrientes marinas, se puede recorrer fácilmente durante la marea baja. En esta isla y en los islotes viven dos especies de reptiles, la iguana verde *(Iguana iguana)* y el basilisco *(Basiliscus basiliscus)*. También son utilizados como posadero o lugar de descanso por las tijeretas de mar *(Fregata magnificens)*, los corocoros blancos *(Eudocimus albus)*, los pelícanos alcatraces *(Pelecanus occidentalis)* y los piqueros pardos *(Sula leucogaster)*. Dentro de sus playas (Bahía, Pedregosa, Ballena, Arco y Piñuela) crecen los cocoteros *(Cocos nucifera)* junto a numerosos arbustos y a la vegetación rastrera de playa. En pequeña cantidad se localiza la mora o alcornoque *(Mora megistoperma)*, un árbol de gran tamaño con gambas grandes y delgadas cuyas semillas, dentro de las

BALLENA NATIONAL MARINE PARK

Created in 1992 over an area of 172 hectares of land and 5,160 hectares of marine habitat on the Pacific coast of Costa Rica, it was the first marine park in Latin America. A shelf formed between Punta Piñuela and Punta Uvita due to marine abrasion, out of which the small islets of Ballena and Tres Hermanas emerged in the bay.

Uvita, a former island, is connected to the mainland by a bridge of sand or tombolo. About 50 meters wide, it formed naturally due to the convergence of marine currents and can be crossed easily at low tide. This island and the islets are home to two species of reptiles, the green iguana *(Iguana iguana)* and the basilisk *(Basiliscus basiliscus)*. They are also used as a roost or resting place by magnificent frigate bird *(Fregata magnificens)*, white ibis *(Eudocimus albus)*, brown pelicans *(Pelecanus occidentalis)* and brown boobies *(Sula leucogaster)*.

On the island's beaches (Bahía, Pedregosa, Ballena, Arco and Piñuela), coconut palms *(Cocos nucifera)* grow alongside numerous shrubs and the low beach vegetation. There are small quantities of alcornoque *(Mora megistoperma)*, a large tree, with large thin buttresses and whose seeds are amongst the largest in the Dicotyledoneae. There is a large mangrove swamp along the edges of the mouth of the Negro. It is made up of five species of mangrove: red mangrove

Zopilotes negros • Black vultures

Corocoro • White ibis

Costa erosionada • Eroded coastline

LA TIJERETA DE MAR

Los rabihorcados magníficos o tijeretas de mar pertenecen a la familia Fregatidae que comprende cinco especies de aves marinas tropicales de gran tamaño. La tijereta de mar *(Fregata magnificens)*, también conocida como rabihorcado magno o zopilote de mar es un ave grande que vive en las aguas marinas litorales.

Existe un claro dimorfismo sexual. Los machos son completamente negros con las patas negruzcas. Poseen una bolsa gular de color rosa que durante la época de celo se hincha formando un gran globo de un intenso color rojo, que utilizan como reclamo para las hembras, que son de mayor tamaño. Éstas tienen la cabeza y el cuello negro, pero las plumas de su pecho son blancas y las patas rojizas. Los jóvenes inmaduros se caracterizan por tener la cabeza y el pecho blancos y las patas de color azul claro.

Se las ve planear a gran altura sobre la costa o sobre las aguas litorales, no adentrándose mucho en el mar. Pescan precipitándose en picado a gran velocidad para capturar los peces que nadan en la superficie de las aguas marinas. Son también predadores incansables de las tortuguitas recién nacidas que capturan sobre la arena de la playa o en las aguas marinas someras. Son muy agresivas, acosando a otras aves marinas como los piqueros para que suelten su presa y así poder apoderarse de ella.

Nidifican de una manera colonial. Las únicas colonias nidificantes que se conocen en Costa Rica son las de la isla Bolaños en el Parque Nacional Santa Rosa, la Bahía Salinas al norte del país y una pequeña isla al oeste de la isla Guayabo, en el golfo de Nicoya. Construyen sobre las ramas más altas de un árbol o arbusto una plataforma formada por ramas. La hembra deposita en ella un huevo blanco que es incubado entre 6 y 8 semanas tanto por el macho como por la hembra. El pollo nidícola es también alimentado por ambos progenitores.

En Costa Rica está presente tanto en el litoral del Caribe como en el del Pacífico, aunque en este último su población es más abundante. También se las puede avistar en la lejana isla del Coco.

dicotiledóneas, son de las de mayor tamaño.

Existe un importante manglar localizado en las márgenes del estero Negro y formado por cinco especies de mangle: el rojo *(Rhizophora mangle)*, el salado *(Avicennia germinans)*, el piñuela *(Pelliciera rhizophorae)*, el botoncillo *(Conocarpus erecta)* y el mariquita *(Laguncularia racemosa)*.

Andarríos maculado • Spotted sandpiper

Los arrecifes de coral que crecen en las aguas litorales están formados por cinco de las 18 especies de corales que se han censado en el Pacífico

Playa Arco • Arco Beach

THE MAGNIFICENT FRIGATEBIRD

The magnificent frigate birds, known in Spanish as 'rabihorcados' or 'tijeretas de mar', belong to the Fregatidae family, which comprises five species of large tropical seabirds. The large *Fregata magnificens* lives in coastal waters.

It presents clear sexual dimorphism. The males are completely black with dark feet. They have a pink throat pouch that swells up into a large bright red globe in the breeding season, which they use to attract the comparatively larger females. The latter have a black head and neck, but their chest feathers are white and legs reddish. The juveniles' main features are their white head and breast and bright blue legs.

They can be seen gliding high up over the coastline or coastal waters, never venturing too far out to sea. They feed by plummeting down at high speed to catch fish swimming near the surface. They are also tireless predators of newborn turtles, which they pick off the sandy beaches or in shallow coastal waters. They are very aggressive, harassing other seabirds such as boobies to make them drop their prey so that they can make off with it.

They nest in colonies. The only nesting colonies known in Costa Rica are those of Bolaños Island in Santa Rosa National Park, Salinas Bay in the north of the country and a small island in the west of Guayabo Island in the Gulf of Nicoya. They build a platform on the highest branches of a tree or shrub. The female lays a single white egg which is incubated for between 6 and 8 weeks by both the male and the female. The nest-bound chick is also fed by both parents.

In Costa Rica the frigate bird is found on both the Caribbean coast and the Pacific coast occurring in higher numbers on the latter. They can also be spotted on El Coco Island.

Tijereta de mar • Magnificent frigatebird

(Rhizophora mangle), black mangrove *(Avicennia germinans)*, tea mangrove *(Pelliciera rhizophorae)*, buttonwood mangrove *(Conocarpus erecta)* and white mangrove *(Laguncularia racemosa)*.

Coral reefs growing in the coastal waters contain 5 of the 18 species of coral identified for the eastern Pacific, *Porites lobata* being the most numerous. The Pacific ridley turtle *(Lepidochelys olivacea)* and hawksbill turtle

Islas litorales • Coast islands

Vista aérea del parque • Aerial view of the park

abundancia de invertebrados marinos –entre los que destacan entre las rocas unos cangrejos que se desplazan muy rápidos y se conocen como marineras *(Grapsus grapsus)*–, en las aguas del parque pueden observarse junto a delfines comunes *(Delphinus delphis)* y delfines

Islotes •Islets

Oriental, de la que *Porites lobata* es la más abundante. A sus playas arenosas, principalmente durante los meses de septiembre y octubre llegan a nidificar las tortugas

(Phalacrocorax brasilianus), la garceta azul *(Egretta caerulea)*, el busardo colorado *(Busarellus nigricollis)*, el andarríos maculado *(Actitis macularia)* y el

INFORMACIONES PRÁCTICAS

- **Localización:** en el litoral del Pacífico, al sur del país, en la amplia bahía de Coronado, entre la desembocadura del río Higuerón o Morete y Punta Piñuela, en el cantón de Osa, provincia de Puntarenas.
- **Accesos:** desde San José hay dos rutas: San José-Quepos-Dominical-Uvita-Bahía (228 km) o San José-San Isidro de El General-Dominical-Uvita-Bahía (190 km). Ambas rutas poseen carreteras pavimentadas hasta Bahía, que se continúan por un camino lastrado. Existen servicios de autobuses San José-Uvita y San Isidro de El General-Uvita.
- **Servicios:** la Administración del parque se localiza en el lado oeste del pueblo costero de Bahía. El parque se abre de 8´00 a 16´00 horas y existe un sendero que hace un recorrido por la playa.
- **Alojamiento:** en Dominical hay hoteles y restaurantes y cerca del parque existen hoteles y pensiones.
- **Direcciones de interés:** para cualquier tipo de información dirigirse a las oficinas del parque, Telf.: (506) 786-7161; e-mail: palmar@minae.go.cr

loras *(Lepidochelys olivacea)* y carey *(Eretmochelys imbricata)*.

En el ambiente litoral (playas, manglares, esteros, ríos y quebradas) se han observado aves como el cormorán biguá

zarapito trinador o cherelá *(Numenius phaeopus)*.

Además de su riqueza piscícola que favorece una pesca artesanal practicada por los pobladores de las comunidades vecinas y de la

de nariz de botella *(Tursiops truncatus)* a las ballenas jorobadas *(Megaptera novaeangliae)* que pueden presentarse con sus crías y en pequeños grupos de dos a tres individuos.

Tómbolo de arena • Beach tombolo

Costa • Coastline

(Eretmochelys imbricata) nest on its sandy beaches, mainly in September and October.

The coastline (beaches, mangrove swamps, river mouths, rivers and gorges) is populated by birds such as the neotropic cormorant, *(Phalacrocorax brasilianus)*, little blue heron *(Egretta caerulea)*, black-collared hawk *(Busarellus nigricollis)*, spotted sandpiper *(Actitis macularia)* and whimbrel *(Numenius phaeopus)*.

Besides the wealth of fish, which is the basis of the inshore fishing carried out by the inhabitants of the neighboring communities, there is an abundance of marine invertebrates, including very fast-moving rocks crabs known as sea crabs *(Grapsus grapsus)* in park waters. Common dolphins *(Delphinus delphis)* and bottle-nosed

PRACTICAL INFORMATION

- **Location:** on the Pacific coast in the south of the country in sweeping Coronado Bay between the mouth of the River Higuerón or Morete and Punta Piñuela in the Osa district of Puntarenas province.
- **Access:** from San José there are two routes: San José-Quepos-Dominical-Uvita-Bahía (228 km) or San José-San Isidro de El General-Dominical-Uvita-Bahía (190 km). Both routes have asphalted roads as far as Bahía, which continue along a paved road. There are bus services San José-Uvita and San Isidro de El General-Uvita.
- **Services:** the park administration office is on the western side of the coastal town of Bahía. The park is open from 08'00 to 16'00 hours and there is a path along the beach.
- **Accommodation:** in Dominical there are hotels and restaurants, and near the park there are hotels and guest houses *(pensiones)*.
- **Useful addresses:** for all information, contact the park offices on Tel.: (506) 786-7161; e-mail: palmar@minae.go.cr

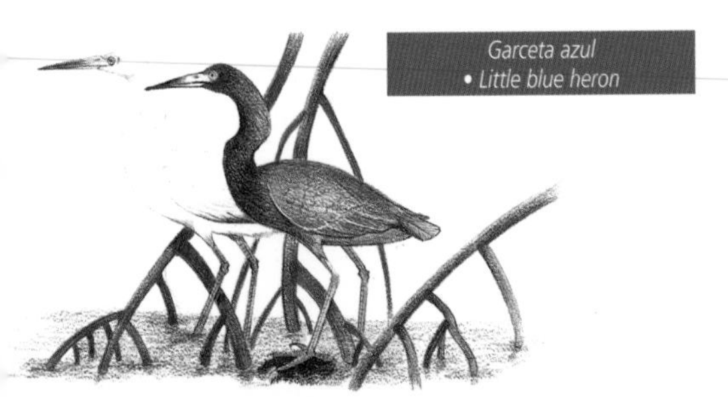

Garceta azul • Little blue heron

dolphins *(Tursiops truncatus)* can be sighted, as well as humpback whales *(Megaptera novaeangliae)* that appear with their young and in small groups of two or three individuals.

PARQUE NACIONAL CORCOVADO

El Parque Nacional Corcovado, la última gran extensión original del bosque húmedo tropical en el Pacífico Mesoamericano fue creado en el año 1975 con 42.469 ha, (más 5.375 ha marinas). Se trata de una de las áreas más lluviosas del país con precipitaciones que pueden alcanzar los 5.500 mm anuales en los cerros más elevados.

Sus principales hábitats son el bosque de montaña, con una extensión que ocupa más de la mitad del parque, albergando la mayor variedad de especies de flora y fauna del área y en el que crecen algunos árboles gigantes cuyo dosel supera los 50 metros de altura, como el endémico y raro popenjoche *(Huberodendron allenii)*, el nazareno *(Peltogyne purpurea)* y el espavel *(Anacardium excelsum)*; el bosque nuboso, que ocupa las partes más elevadas del parque, con una gran riqueza de robles *(Quercus insignis* y *Quercus rapurahuensis)* y de helechos arborescentes, y el bosque alto de llanura, que se extiende por las zonas aluviales del área protegida con árboles muy altos como la ceiba *(Ceiba pentandra)*, el guayabón *(Terminalia oblonga)*, el sangregao *(Pterocarpus officinalis)* y la caobilla *(Carapa guianensis)*.

Además, en Corcovado se localiza el bosque pantanoso, que permanece inundado casi todo el año; el yolillal, en el que la especie dominante es la palma yolillo *(Raphia taedigera)*; el pantano

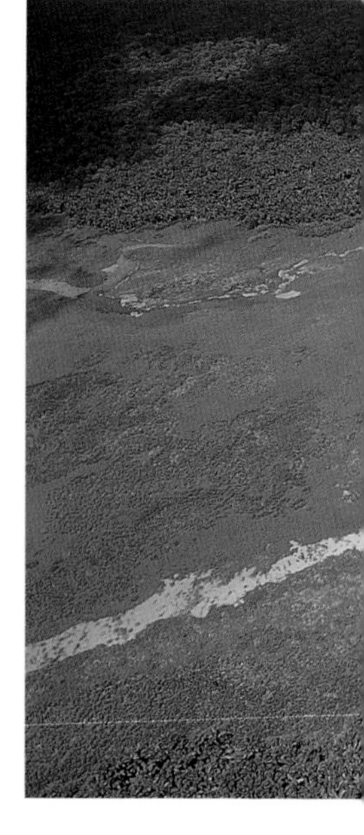

herbáceo de agua dulce, conocido como laguna de Corcovado, que se extiende sobre más de mil hectáreas tapizadas por hierbas y arbustos, que constituyen un

Guacamayo macao • Scarlet macaw

CORCOVADO NATIONAL PARK

Pantano herbáceo de agua dulce • Freshwater herbaceous swamp

Corcovado National Park, the last original great tract of moist tropical forest in the Meso-American Pacific, was created in 1975 over 42.469 ha, along with 5,375 ha of marine habitat. It is one of the wettest parts of the country with sometimes as much as 5,500 mm of rainfall annually in the uppermost parts.

Its principal habitats are montane forest, covering more than half the park and containing the greatest variety of species of flora and fauna in the area and including some huge trees with a canopy over 50 meters high such as the endemic and rare popenjoche *(Huberodendron allenii),* the purple heart *(Peltogyne purpurea)* and espavel *(Anacardium excelsum);* cloud forest, occupying the highest parts of the park, very rich in oaks *(Quercus insignis* and *Quercus rapurahuensis)* and tree ferns; the high plains forest stretching across the alluvial zones of the protected area, with very tall trees like the silk cotton tree *(Ceiba pentandra),* guayabón *(Terminalia oblonga),* mang tree *(Pterocarpus officinalis)* and crabwood *(Carapa guianensis).*

Corcovado also boasts swamp forest that is flooded almost all year round; the holillo stands *(yolillal),* in which the dominant species is the raffia palm *(Raphia taedigera)*; the freshwater herbaceous swamp

Serpiente coral centroamericana • Coral snake

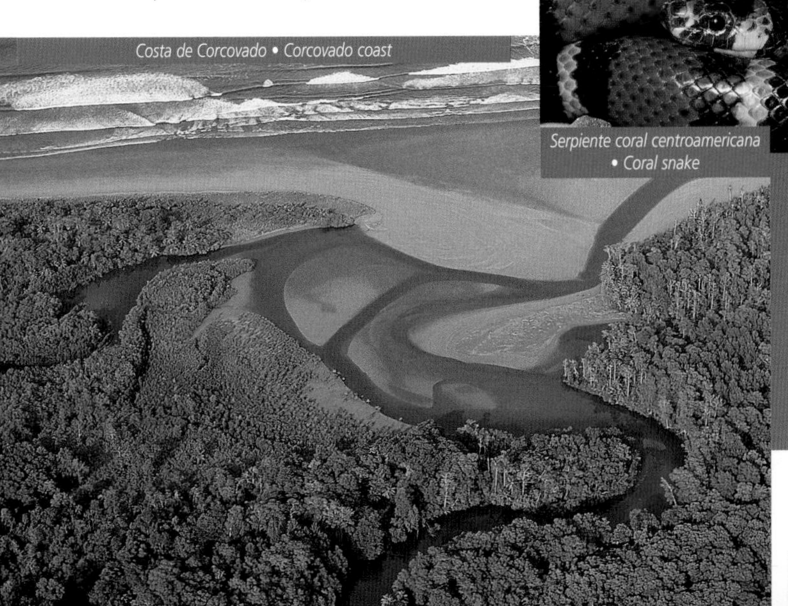

Costa de Corcovado • Corcovado coast

LA CEIBA

En el bosque alto de llanura del Parque Nacional Corcovado se encuentra el que está considerado el árbol más grande del país, un ceiba *(Ceiba pentandra)* que supera los 60 metros de altura, sobrepasando con mucho el ya de por sí alto dosel forestal.

Este gran árbol pertenece a la familia de las Bombacáceas y su distribución en el continente americano va desde el sur de México hasta el sur de la cuenca del Amazonas. Se distingue, a ras del suelo, por la presencia de unas gambas laminares muy desarrolladas en la base de su grueso tronco de color gris. El tronco de los ejemplares jóvenes y las ramas laterales se cubren de espinas cónicas. Se trata de un árbol de crecimiento muy rápido, en torno a los cuatro metros por año, a un ritmo mucho mayor que los otros árboles del bosque y que fácilmente alcanza los 60 metros de altura.

Pierde sus hojas compuestas digitadas durante la época seca. La floración y la fructificación tienen lugar durante la fase sin hojas, generalmente en los meses de enero y febrero. Los frutos maduran entre las 4 y las 6 semanas más tarde. Sin embargo, el árbol no florece todos los años.

Las flores, de unos 3 cm de largo, poseen cinco pétalos, son blancas o rosadas en su exterior y pardo oscuro en el interior y se abren al atardecer. Provistas de abundante néctar, exhalan un olor agrio, lo que no impide que acudan a libar en ellas murciélagos, colibríes, paseriformes, abejas y avispas antes de que se cierren por la mañana. Sólo unas pocas flores de cada racimo se abren al mismo tiempo durante la misma noche, por lo que en un mismo árbol las flores se abren y se cierran durante dos o tres semanas.

Un árbol puede producir entre 500 y 4.000 frutos al mismo tiempo, cada uno provisto de 200 o más semillas. El fruto es una cápsula oval de hasta 18 cm de largo y de 3 a 5 cm de diámetro. Los frutos se abren en el árbol, (de mayo a abril en Costa Rica) y las semillas adheridas al kapok (unas fibras blanco grisáceas) son dispersadas por el viento. Éstas, de 5 mm de diámetro, son comestibles, muy ricas en aceites y se usan para la fabricación del jabón y para el alumbrado. Pueden permanecer en la tierra durante varios años sin perder su poder germinativo.

Las fibras de kapok, de 1,5 a 3 cm de largo, se desprenden fácilmente de las semillas y se utilizan para relleno de cojines y almohadas, colchones, salvavidas y sillas de montar. Las fibras de kapok son un buen aislante del calor y del sonido y repelentes al agua.

La madera, liviana y fácil de trabajar con herramientas sencillas, no es muy duradera y es atacada frecuentemente por los hongos. Cuando se seca se vuelve muy quebradiza. Éste ha sido el motivo por el que no ha sido utilizada por los explotadores de madera y lo que ha permitido que muchos de estos gigantes, como el de Corcovado, subsistan aún en las selvas costarricenses.

excepcional refugio para la fauna; un extenso manglar situado en los esteros de los ríos Llorona, Corcovado y Sirena y, por último, la vegetación costera.

Existen unas 500 especies de árboles en todo el parque, lo que representa una cuarta parte de todas las especies arbóreas de Costa Rica. En noviembre de 1993 se descubrió el cedro caracolito *(Ruptiliocarpon caracolito)*, un género y una especie nuevos para la ciencia y que estableció una nueva familia botánica para el Neotrópico. La fauna de Corcovado es tan variada y rica como su flora. Se conoce la existencia de 140 especies de mamíferos, muchas de ellas protegidas como la danta *(Tapirus bairdii)*, el oso hormiguero gigante *(Myrmecophaga trydactyla)*, el jaguar *(Panthera onca)*, el manigordo *(Felis pardalis)*, el león breñero *(Felis yaguaroundi)*, el caucel *(Felis wiedii)* y el tigrillo *(Felis tigrina)*. Se han censado 367 especies de aves, entre ellas el guacamayo macao *(Ara macao)*, que posee aquí la población más grande del país, la abundante paloma piquicorta *(Columba nigrirostris)*, el cacique picoamarillo *(Amblycercus holosericeus)* y la tángara hormiguera carinegra *(Habia atrimaxillaris)*.

Paloma piquicorta • Short-billed pigeon

THE SILK COTTON TREE

In the high plains forest of Corcovado National Park grows what is regarded as the biggest tree in the country, the silk cotton tree *(Ceiba pentandra)*, which at over 60 meters high towers above the high forest canopy.

The distribution range on the American continent of this great member of the Bombacaceae family extends from southern Mexico to the south of the Amazon Basin. At ground level it can be distinguished by its well developed thin buttresses at the base of a thick gray trunk. The trunk and lateral branches of young trees are covered in conical thorns. It is a very fast-growing tree boasts a rate of four meters per year, much more than the other forest trees, and can easily grow to 60 meters high.

It loses its composite digitate leaves in the dry season. Flowering and fruiting take place at the leafless stage, generally in January and February, the fruits maturing between 4 and 6 weeks later. The tree does not flower every year.

The flowers, about 3 cm long with five white or pink petals on the outside are dark brown inside, and open at nightfall. Full of nectar, they give off a sour smell which does not prevent bats, hummingbirds, passerines, bees and wasps feeding on them before they close in the morning. Only a few flowers on each stalk open at the same time at night so the flowers of any given tree open and close over a period of two or three weeks. One tree can produce between 500 and 4,000 fruits at the same time, each one continuing 200 or more seeds. The fruit is an oval capsule up to 18 cm long and from 3 to 5 cm in diameter. The fruits open on the tree, (from May to April in Costa Rica) and the seeds adhering to the kapok (grayish white fibers) are dispersed by the wind. From 5 mm in diameter, they are edible, very rich in oils and are used for manufacturing soap and for lighting. They may remain in the earth for several years without losing their ability to germinate.

The kapok fibers, from 1.5 to 3 cm long, are easily broken off the seeds and are used to fill cushions and pillows, mattresses, life jackets and riding saddles. Kapok fibers provide good insulation from heat and also for sound proofing and water proofing.

The light wood is easy to work with simple tools, not very durable and prone to an attack by fungi. When it dries it becomes very friable, which is why it has not been used by timber dealers, thus enabling many of these giants, such as the one in Corcovado, to survive in the jungles of Costa Rica.

Ceiba • Silk cotton tree

known as Corcovado Lagoon that extends over more than a thousand hectares of land carpeted in grasses and shrubs and which provides an exceptional refuge for wildlife; an extensive mangrove swamp situated at the mouth of the rivers Llorona, Corcovado and Sirena; and, finally, coastal vegetation.

There are about 500 tree species in the park, a quarter of all the tree species in Costa Rica. In November 1993 the cedro caracolito *(Ruptiliocarpon caracolito)*, a new genus and a species new to Science, was discovered and a new family of plants was established for the Neotropics. Corcovado's wildlife is as varied and rich as its flora. 140 species of mammals have been identified, many of them protected such as Baird's tapir *(Tapirus bairdii)*, giant anteater *(Myrmecophaga trydactyla)*, jaguar *(Panthera onca)*, ocelot *(Felis pardalis)*, jaguarundi *(Felis yaguaroundi)*, margay *(Felis wiedii)* and little spotted cat *(Felis tigrina)*. Three hundred and sixty seven bird species have been recorded, including the country's largest population of scarlet macaw *(Ara macao)*, the abundant short-billed pigeon *(Columba nigrirostris)*, yellow-billed cacique *(Amblycercus holosericeus)* and black-cheecked ant-tanager *(Habia atrimaxillaris)*. There are 117 species of amphibians and reptiles. Threatened American crocodiles *(Crocodylus acutus)* are found in large numbers, especially in Corcovado Lagoon.

Laguna Buenavista • Buenavista Lagoon

Existen 117 especies de anfibios y reptiles, entre los que destacan por su abundancia los amenazados cocodrilos *(Crocodylus acutus)*, sobre todo en la laguna de Corcovado. Están también presentes las serpientes venenosas terciopelo *(Bothrops asper)* y la cascabel del Pacífico *(Lachesis muta)*. En la extensa playa Llorona desovan con relativa abundancia cuatro especies de tortugas marinas: la carey *(Eretmochelys imbricata)*, la baula *(Dermochelys coriacea)*, la verde del Pacífico *(Chelonia mydas)* y la lora *(Lepidochelys olivacea)*. Entre los anfibios son comunes las ranitas de vidrio *(Centrolenella valerioi* y *Centrolenella colymbiphyllum)* y el endémico sapo venenoso costarricense *(Dendrobates granuliferus)*. Se han censado también 40 especies de peces de agua dulce y se estima que existen más de 6.000 especies de insectos. En el área marina protegida es común observar a diversas especies de delfines, a los tiburones toro *(Carcharhinus leucas)* y a tres especies de ballenas, entre ellas la jorobada *(Megaptera novaeangliae)*.

INFORMACIONES PRÁCTICAS

- **Localización:** en el sector suroccidental de la península de Osa, en el Pacífico Sur, en la provincia de Puntarenas.
- **Accesos:** la Administración se encuentra en Puerto Jiménez, en el Golfo Dulce, distante 371 km de San José por carretera. También se puede acceder por avioneta desde San José, Palmar Sur, Golfito, Puerto Jiménez y Carate. A la estación de Sirena, ya en el interior del parque se puede acceder también por avioneta. A la estación Los Patos (al este del parque) se puede llegar por lancha desde Golfito hasta Puerto Jiménez o por la Interamericana Sur vía Piedras Blancas-Puerto Jiménez. Desde Puerto Jiménez se llega hasta Palma y de allí a pie hasta Los Patos. A la estación La Leona (al sur del parque) se accede desde Puerto Jiménez a Carate-Madrigal, por una carretera lastrada. A la estación San Pedrillo (al noroeste del parque) se llega a caballo o a pie desde Los Patos y San Pedrillo.
- **Servicios:** las cuatro estaciones (Sirena, La Leona, Los Patos y San Pedrillo) tienen áreas para acampar y almorzar con mesas, lavabos y agua potable. El parque se abre de 08'00 a 16'00 horas. De La Leona sale el sendero La Leona-Sirena. De Sirena salen hasta 11 senderos: Río Sirena, El Guanacaste, Los Naranjos, Río Claro, Sirena-San Pedrillo, Los Espaveles, Río Pavo, Corcovado, Ollas Sirena-Los Patos, Sirena-La Leona. De la estación de San Pedrillo: San Pedrillo-Sirena, El Límite, La Catarata, Río Pargo y Llorona. De la estación Los Patos: Los Patos-Sirena, y El Mirador. En Sirena se pueden alquilar tiendas para acampar y barcas para navegar por el río Sirena.
- **Alojamiento:** en Puerto Jiménez hay hoteles, pensiones, restaurantes y supermercados. En las cercanías del parque se han establecido reservas naturales privadas que poseen cabinas. En la estación Sirena hay alojamiento para 16 personas.
- **Direcciones de interés:** para cualquier tipo de información dirigirse a los Telfs.: (506) 735-5580, (506) 735-5036; fax: (506) 735-5276; e-mail: corcovado@minae.go.cr

There are also poisonous fer-de-lance *(Bothrops asper)* and the bushmaster *(Lachesis muta)*. Long Llorona Beach is a laying site for quite large numbers of four species of marine turtles, i.e. hawksbill *(Eretmochelys imbricata)*, leatherback *(Dermochelys coriacea)*, green turtle *(Chelonia mydas)* and Pacific ridley *(Lepidochelys olivacea)*. The most common amphibians include the glass frogs *(Centrolenella valerioi* and *Centrolenella colymbiphyllum)* and the endemic Costa Rican granular poison-arrow frog *(Dendrobates granuliferus)*. Forty freshwater fish species have also been identified and there are estimated to be over 6,000 species of insects. In the protected marine area several species of dolphins, bull sharks *(Carcharhinus leucas)* and three species of whales, including the humpback whale *(Megaptera novaeangliae)*, are a common sight.

Tángara hormiguera carinegra • Black-cheeked ant-tanager

Bosque de montaña • Mountain forest

PRACTICAL INFORMATION

- **Location:** in the south-western sector of the Osa Peninsula in the South Pacific, Puntarenas province.
- **Access:** the administration office is in Puerto Jiménez in Golfo Dulce, 371 km from San José by road. Access is also possible by light aircraft from San José, Palmar Sur, Golfito, Puerto Jiménez and Carate. Once inside the park, Sirena station can also be accessed by light aircraft. You can get to the Los Patos station (east of the park) by launch from Golfito to Puerto Jiménez or along the Interamericana Sur highway via Piedras Blancas-Puerto Jiménez. From Puerto Jiménez as far as Palma and from there on foot to Los Patos. To get to the La Leona station (south of the park), access is from Puerto Jiménez to Carate-Madrigal along a paved road. The San Pedrillo station (north-west of the park) can be reached on horseback or on foot from Los Patos and San Pedrillo.
- **Services:** the four stations (Sirena, La Leona, Los Patos and San Pedrillo) have areas for camping and picnicking with tables, toilets and drinking water. The park opens from 08'00 to 16'00 hours. There is a path from La Leona to the La Leona-Sirena Trail. Eleven trails start from La Sirena: Río Sirena, El Guanacaste, Los Naranjos, Río Claro, Sirena-San Pedrillo, Los Espaveles, Río Pavo, Corcovado, Ollas Sirena-Los Patos, Sirena-La Leona. From the San Pedrillo station there are the following trails: San Pedrillo-Sirena, El Límite, La Catarata, Río Pargo and Llorona. From the Los Patos station there are Los Patos-Sirena, and Mirador (Lookout Point). In Sirena there are tents for hire and boats can be rented for trips along the River Sirena.
- **Accommodation:** in Puerto Jiménez, there are hotels, guest houses (*pensiones*), restaurants and supermarkets. In the vicinity of the park, private natural reserves with cabins have been set up. The Sirena station can accommodate 16 people.
- **Useful addresses:** for information, please contact Tels: (506) 735-5580, (506) 735-5036; fax: (506) 735-5276; e-mail: corcovado@minae.go.cr

REFUGIO NACIONAL DE VIDA SILVESTRE GOLFITO

El Refugio Nacional de Vida Silvestre Golfito fue creado en el año 1986 con una extensión de 2.810 hectáreas sobre un área de topografía irregular caracterizada por su alta pluviosidad. Su relieve está formado por serranías y mesetas que se alzan hasta los 500 metros y descienden abruptamente al mar creando una costa recortada con acantilados que pueden alcanzar los 200 metros de caída.

El bosque tropical húmedo siempreverde, denso y de gran altura que lo cubre, está constituido por unas 400 especies de árboles y arbustos. El estrato emergente está formado por enormes árboles como el guabo *(Pithecellobium macradenium)*, la ceiba *(Ceiba pentandra)*, el ajo *(Caryocar costaricense)*, el plomo *(Tachigali versicolor)*, el nazareno *(Peltogyne purpurea)*, el pilón *(Hyeronima alchorneoides)* y el vaco *(Brosimum utile)*, que produce un látex blanco que se puede beber como si fuera leche. Una palma bastante común es la chonta *(Astrocaryum standleyanum)*, que alcanza los dos metros de altura. Así mismo, una rareza botánica de este refugio es el

Basilisco • Basilisk

Arroyo • Stream

GOLFITO NATIONAL WILDLIFE REFUGE

Playa Zancudo • Zancudo Beach

Golfito National Wildlife Refuge was set up in 1986 over 2,810 hectares of uneven terrain, where rainfall is high. The relief consists of low mountain ranges and plateaux that rise to 500 meters and drop abruptly to the sea, forming a coastline with cliffs with height differences of up to 200 meters.

The moist evergreen tropical forest covering it is tall and thick and contains around

Bosque tropical siempreverde • Evergreen tropical forest

Sotobosque • Forest undergrowth

quira *(Caryodaphnopsis burgeri)*, un árbol de la familia de las Lauráceas representado en Centroamérica únicamente por esta especie. En el sotobosque son abundantes las heliconias o platanillas del género *Heliconia,* de vistosas flores amarillas, rojas o anaranjadas.

Entre los mamíferos aquí presentes se encuentra el jaguar *(Panthera onca)*, el pizote *(Nasua narica)*, el saíno *(Tayasu tajacu)*, la guatuza *(Dasyprocta punctata)*, la rata algodonera *(Sigmodon hispidus)* y el mapachín común *(Procyon lotor)*. En el refugio se han identificado 146 especies de aves, entre ellas el tinamú oliváceo *(Tinamus major)*, la anhinga

LAS HELICONIAS

El género *Heliconia,* perteneciente a la familia de las Heliconáceas, está formado por una serie de llamativas plantas caracterizadas por sus grandes y extravagantes hojas semejantes a las del banano. En Costa Rica se han censado hasta la fecha casi una treintena de especies, que se localizan desde el nivel del mar hasta los 2.000 metros de altitud.

Las plantas de heliconia están constituidas por uno o varios tallos cubiertos de hojas, cada uno con varias inflorescencias unidas entre sí por rizomas subterráneos. Las hojas son rígidas, con grandes cantidades de celulosa y también de taninos, por lo que habitualmente son rechazadas por los herbívoros debido a su escaso valor nutritivo.

Cuando el tallo tiene cerca de un año produce una inflorescencia formada por una serie de vistosas brácteas que se disponen en espiral alrededor de un raquis. Las brácteas de la base son más largas que las del extremo, adquiriendo la inflorescencia la forma de un cono invertido. Cada bráctea posee un número variable de flores que maduran secuencialmente y que por lo general duran un día. El fruto madura en dos o tres meses.

Todas las heliconias de Costa Rica son polinizadas por colibríes. La mayoría de las especies del género *Heliconia* florecen al principio de la estación lluviosa, de junio a agosto, aunque pueden verse inflorescencias en cualquier mes del año. El fruto es una baya que contiene tres semillas grandes de corteza muy dulce. Las semillas necesitan entre seis y siete meses para germinar.

En Costa Rica, durante mucho tiempo las hojas de heliconia fueron utilizadas por la población indígena como material para construir el techo de sus viviendas o como envolturas para sus alimentos. Aunque a algunas especies se les atribuyen propiedades medicinales, su principal uso actualmente es como planta ornamental, realizándose en jardinería un gran número de hibridaciones.

400 species of trees and shrubs. The emergent stratum consists of huge trees such as the guabo *(Pithecellobium macradenium)*, silk-cotton tree *(Ceiba pentandra)*, butternut *(Caryocar costaricense)*, plomo tree *(Tachigali versicolor)*, purple heart *(Peltogyne purpurea)*, bully tree *(Hyeronima alchorneoides)* and South American milk tree or

Cascada • Waterfall

Tinamú oliváceo • Great tinamou

HELICONIAS

The genus *Heliconia* belonging to the family of Heliconaceae consists of a series of striking plants with characteristic large and extravagant leaves similar to those of the banana tree. In Costa Rica almost thirty species have so far been identified from sea level up to an altitude of 2,000 meters.

The heliconia plants comprise one or several stalks covered in leaves, each with several inflorescences interlinked by with underground rhizomes. The leaves are rigid with large amounts of cellulose and tannins, which is why they are usually rejected by herbivores as they are of little nutritional value.

When the stalk is nearly one year old, it produces an inflorescence consisting of a series of showy bracts arranged in a spiral around a rachis. The bracts of the base are longer than those at the end, making the inflorescence look like an inverted cone. Each bract has a varying number of flowers which mature in sequence and generally last one day. The fruit ripens in two or three months.

All the heliconias in Costa Rica are pollinated by hummingbirds. Most species in the genus *Heliconia* flower at the beginning of the rainy season from June to August although there may be inflorescences at any time of year. The fruit is a berry containing three large seeds with a very sweet shell. The seeds need between six and seven months to germinate.

In Costa Rica heliconia leaves were used by the native population for a long time as material for roofing or wrapping food. Although some species are thought to have medicinal properties, their main use nowadays is as an ornamental plant, a large number of hybrids being produced by gardeners.

Manigordo • Ocelot

americana *(Anhinga anhinga)*, la espátula rosada *(Platalea ajaja)*, el águila solitaria *(Harapyhaliaetus solitarius)*, el águila pescadora *(Pandion haliaetus)*, el mosquero pirata *(Legatus leucophaius)* y el guacamayo macao *(Ara macao)*. Entre los reptiles se localiza una importante población de cocodrilo *(Crocodylus acutus)* y caimanes *(Caiman crocodylus)*, y está presente la venenosa terciopelo *(Bothrops asper)*. Todavía muy poco conocido biológicamente, este refugio tiene una particular importancia para la conservación de los nacientes de las aguas que surten a la cercana ciudad de Golfito.

Mosquero pirata • Piratic flycatcher

INFORMACIONES PRÁCTICAS

- **Localización:** al este del golfo Dulce, en las proximidades del puerto de Golfito, en la provincia de Puntarenas.
- **Accesos:** por la carretera Interamericana Sur, 339 km al sureste de San José por carretera pavimentada. Por vía aérea desde San José hasta la pista de aterrizaje de la ciudad de Golfito. Existe un servicio de autobuses San José-Golfito. Se pueden alquilar taxis en Golfito.
- **Servicios:** la Administración se encuentra en Chacarita de Osa. No existen servicios especiales para el visitante, aunque hay una carretera lastrada por el interior del refugio que llega a la parte más alta donde se encuentra un mirador.
- **Alojamiento:** la ciudad de Golfito tiene una variada oferta hotelera y de restaurantes.
- **Direcciones de interés:** para cualquier tipo de información diríjase al Telf.: (506) 775-2620.

Helechos • Ferns

PRACTICAL INFORMATION

- **LOCATION:** east of Golfo Dulce, in the vicinity of the port of Golfito in Puntarenas province.
- **ACCESS:** via the Interamericana Sur Highway, 339 kilometers south-east of San José along a tarmaced road. By air from San José to the landing strip of Golfito city. There is a bus service between San José and Golfito. Taxis can be hired in Golfito.
- **SERVICES:** the administration offices are in Chacarita de Osa. There are no special services for visitors although a paved road goes from the refuge through the interior to the highest part where there is a lookout point.
- **ACCOMMODATION:** there is a variety of hotels and restaurants on offer in Golfito city.
- **USEFUL ADDRESSES:** for all information, contact Tel.: (506) 775-2620.

cow tree *(Brosimum utile)*, which produces a white latex that is drinkable like milk.

A relatively common palm is black palm *(Astrocaryum standleyanum)*, which can grow up to two meters high. The quira *(Caryodaphnopsis burgeri)*, a tree of the Lauraceae family, is the only species of this family in Central America and a botanical rarity in this area. The undergrowth contains lots of heliconias or 'platanillas' of the genus *Heliconia*, with striking yellow, red or orange flowers.

Among the mammals found here is the jaguar *(Panthera onca)*, white-nosed coati *(Nasua narica)*, collared peccary *(Tayasu tajacu)*, agouti *(Dasyprocta punctata)*, hispid cotton rat *(Sigmodon hispidus)* and common raccoon *(Procyon lotor)*. One hundred and forty six bird species have been identified in the refuge, including the great tinamou *(Tinamus major)*, anhinga *(Anhinga anhinga)*, roseate spoonbill *(Platalea ajaja)*, solitary eagle *(Harapyhaliaetus solitarius)*, osprey *(Pandion haliaetus)*, piratic flycatcher *(Legatus leucophaius)* and scarlet macaw *(Ara macao)*. The reptiles include a large population of crocodiles *(Crocodylus acutus)* and caimans *(Caiman crocodylus)*, and the poisonous fer-de-lance *(Bothrops asper)*.

Still little known in biological terms, this reserve is particularly important for the conservation of the water sources that supply the nearby city of Golfito.

RESERVA BIOLÓGICA ISLA DEL CAÑO

Bosque siempreverde • Evergreen forest

Fue creada en el año 1976 con una extensión de 326 hectáreas terrestres y 2.700 hectáreas de aguas marinas. Está formada por un bloque de basaltos eocénicos, de unos 50-60 millones de años de antigüedad, que ha emergido a causa del hundimiento de la placa de Cocos debajo de la placa del Caribe a lo largo de la fosa Mesoamericana, lo que provocó un levantamiento de la corteza terrestre. La isla posee una altura máxima de 110 metros y la mayor parte de su costa está formada por acantilados fuertemente erosionados que pueden alcanzar los 70 metros de alto. Las playas son pequeñas, de no más de cien metros de longitud, formadas por blancas arenas que en muchos casos casi desaparecen durante la marea alta.

La amplia altiplanicie central, de unos 90 metros de altitud, está tapizada por un bosque siempreverde de gran altura constituido básicamente por enormes árboles de vaco *(Brosimun utile)*, también conocido como árbol de la leche, a causa del látex blanco

ISLA DEL CAÑO BIOLOGICAL RESERVE

Costa • Coastline

Created in 1976, the reserve covers an area of 326 hectares of land and 2,700 of marine habitat. It consists of a block of Eocene basalts between 50-60 million years old. They emerged as a result of the Cocos Plate sinking beneath the Caribbean Plate along the length of the Meso-American Trench, causing an upheaval in the Earth's crust. The island rises to 110 meters at its highest point and most of its coastline consists of heavily eroded cliffs up to 70 meters in height. Its small white sand beaches are no more than one hundred meters long, and many of them are almost completely submerged at high tide.

The island's extensive high plateau, lying at an altitude of some 90 meters, is carpeted in very tall evergreen forest basically consisting of huge South American milk trees or cow trees *(Brosimun utile)*, thus named for the white, drinkable latex they exude. It is believed that these giant trees are the result of an ancient orchard planted by the indigenous pre-Colombian Indians who once lived there. Magnificent examples of the guapinol *(Hymenaea curbaril)* are also to be found in this forest, as are wild cocoa

Vista aérea • Aerial view

EL NOMBRE DE ISLA DEL CAÑO

Fue el gran cronista español Gonzalo Fernández de Oviedo y Valdés quien en su magna obra *Historia General y Natural de las Indias* cita por primera vez la Isla del Caño y explica por qué se llamó así tras sus viajes realizados en 1529 a lo largo de la costa pacífica costarricense.

"Desde el Cabo de Sancta María, hasta el punto que está cerca de la Isla del Caño, hay diez e ocho o veynte leguas, e la dicha isla está cerca de tierra; e llámase del Caño, porque según fuí informado del piloto Johan de Castañeda, que la descubrió en compañía del licenciado Gaspar de Espinosa, hay allí un caño de una fuente natural, muy hermoso, que cae de una peña alta, e pueden meter la barca debaxo y henchir las pipas que quisieren dentro de las barcas, e es tan grueso o más que un círculo de un real de plata castellano.

Esto doy al precio que lo ove; porque aunque lo he preguntado a otros, no lo han visto o no lo saben tan puntualmente: e pasé dos veces bien cerca de esta isla e con determinación de ver si era así como lo he dicho o me avían informado, y el tiempo no dio tal oportunidad, como yo quisiera, para comprobar lo ques dicho, e asi nos convino apartar e meternos más a la mar".

que exuda y que se puede beber. Se cree que estos árboles gigantescos proceden de un antiguo huerto plantado por los indígenas precolombinos que vivieron allí. También se localizan en este bosque magníficos ejemplares de guapinol *(Hymenaea curbaril)* y de cacao silvestre *(Amphitecna latifolia).* Hasta la fecha se han censado 158 especies de plantas en toda la isla. La fauna no es abundante. Entre los mamíferos se encuentra el zorro de cuatro ojos *(Philander opossum)* y el reintroducido tepezcuintle *(Agouti paca)*. Las aves más comunes son la garcilla bueyera *(Bubulcus ibis)*, el busardo-negro norteño *(Buteogallus anthracinus)*, el águila pescadora *(Pandion haliaetus)*, el piquero pardo o monjita *(Sula leucogaster)*, el charrancito americano *(Sterna antillarum)* y la tiñosa boba *(Anous stolidus)*. Entre los anfibios y reptiles se localizan en la isla la rana transparente *(Centrolenella fleishmanii)* y la boa constrictora *(Boa constrictor)*. Alrededor de la isla se encuen-

Águila pescadora • Osprey

Plantas epífitas • Epiphytic plants

HOW ISLA DEL CAÑO GOT ITS NAME

It was the great Spanish chronicler Gonzalo Fernández de Oviedo y Valdés who first mentioned Isla del Caño and explained why it was so named in his opus magnum *Historia General y Natural de las Indias* (General and Natural History of the Indies) written after the voyages he made along Costa Rica's Pacific coastline in 1529.

'Eighteen or twenty leagues lie between the Cape of Sancta María and the point that is close to Isla del Caño. That island is close to land; and it is called 'del Caño' because, according to information I received from the navegator Johan de Castañeda, who discovered it together with the lawyer Gaspar de Espinosa, it is the site of the spout (caño) of a very beautiful natural spring that gushes from a high rock, and it is possible to position the ship below and fill all the water butts one wishes to replenish on the ships, and it is as thick, or more so, as the circle of a Castilian silver real. I attribute this to mere hearsay as although I have questioned people about it, either they have not seen it or do not know have precise information about it. Twice I passed close by the island determined to see for myself if what was said or what I had been told was indeed so, but the weather robbed me of such an opportunity as I would have wished for in order to check what was said, and it was in our best interests to keep our distance and head further out to sea'.

(Amphitecna latifolia). To date, 158 species of plants have been identified across the whole of the island.

The island does not abound in wildlife. Mammals include the gray four-eyed opossum *(Philander opossum)* and the reintroduced paca *(Agouti paca)*. The most common birds are the cattle egret *(Bubulcus ibis)*, common

Esferas de piedra indígenas • Native stone spheres

Boa constrictora • Boa constrictor

black hawk *(Buteogallus anthracinus)*, osprey *(Pandion haliaetus)*, brown booby *(Sula leucogaster)*, least tern *(Sterna antillarum)* and brown noddy *(Anous stolidus)*. The amphibians and reptiles living on the island include Fleischmann's glass frog *(Centrolenella fleishmanii)* and the boa constrictor *(Boa constrictor)*.

INFORMACIONES PRÁCTICAS

- **Localización:** en el océano Pacífico, a 16,5 km de la costa occidental de la península de Osa, en la provincia de Puntarenas.
- **Accesos:** únicamente por vía marítima. Los botes preparados para la travesía en mar abierto se pueden contratar en el embarcadero de Sierpe (a 53 km de la isla), localizado a 15 kilómetros de Palmar Norte.
- **Servicios:** es necesaria autorización previa para la visita. No se permite acampar en la isla. Existen áreas especialmente designadas para la práctica del buceo, un sendero que recorre toda la isla y que conduce a un mirador sobre el área arqueológica y una zona para almorzar con mesas, lavabos y agua potable.
- **Alojamiento:** no existe alojamiento en la isla. En Palmar Norte hay hoteles, pensiones y restaurantes.
- **Direcciones de interés:** para cualquier tipo de información dirigirse a la administración del Área de Conservación Osa, Telf.: (506) 735-5580, (506) 735-5036; fax: (506) 735-5276; e-mail: corcovado@minae.go.cr

tran cinco plataformas o bajos arrecifales en los que se han censado hasta 15 especies diferentes de corales, siendo el más abundante *Porites lobata*. Las aguas litorales son muy ricas en peces y constituyen un lugar de paso de delfines y ballenas en sus desplazamientos migratorios. En ellas viven dos especies amenazadas de extinción: las langostas del género *Panulirus* y los cambutes *(Strombus galeatus)*. La isla tiene una gran significación arqueológica ya que fue utilizada como cementerio y como asentamiento permanente de indígenas precolombinos. Todavía es posible observar restos de cerámica y algunas esferas de piedra hechas por los indígenas, de una redondez casi perfecta, que han suscitado diversas teorías sobre su origen y utilización.

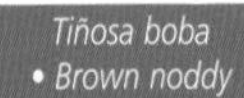

Tiñosa boba • Brown noddy

Una de las playas de la isla • One of the island's beaches

PRACTICAL INFORMATION

- **Location:** in the Pacific Ocean 16.5 km off the west coast of the Osa Peninsula, which is part of Puntarenas Province.
- **Access:** the island can only be reached by sea. Boats to make the crossing can be hired at the quayside in Sierpe (53 km from the island), which is, in turn, 15 kilometers from Palmar Norte.
- **Services:** visits can only be made with previous authorisation. Camping is not permitted on the island. There are specially designated diving areas, a trail that traverses the whole island and leads to a vantage point overlooking the archaeological site, and a picnic area with tables, toilets and drinking water.
- **Accommodation:** there is no accommodation on the island. In Palmar Norte there are hotels, boarding houses and restaurants.
- **Useful addresses:** for any kind of information, please contact the Área de Conservación Osa (Osa Conservation Area) Administration Centre, Tel.: (506) 735-5580, (506) 735-5036; fax: (506) 735-5276; e-mail: corcovado@minae.go.cr

Bosque siempreverde • Evergreen forest

Extremo de la isla • End of the island

In the waters surrounding the island there are five shelves or low reefs on which up to 15 different species of coral have been identified, the most abundant of which is *Porites lobata*. The coastal waters are rich in fish and visited by migrating dolphins and whales. These waters are also home to two threatened species: a lobster of the genus *Panulirus* and the queen conch *(Strombus galeatus)*.

The island is highly significant in archaeological terms due to the fact that it was once used by the region's indigenous pre-Colombian inhabitants both as a burial ground and as a permanent settlement. It is still possible to find shards of pottery and the occasional stone sphere. These perfectly round spheres, made by the indigenous peoples, have given rise to a number of different theories regarding their origin and use.

PARQUE NACIONAL CARARA

La antigua Reserva Biológica Carara, creada en 1978 con 5.242 ha, fue declarada parque nacional en 1998. Por ser una zona de transición entre una región más seca al norte y otra más húmeda al sur, Carara presenta una amplia diversidad florística con más de 1.400 especies de plantas, entre las que predominan las especies siempreverdes. Atravesada por diversos arroyos, en su mayoría de aguas permanentes, el área protegida se presenta durante la estación más seca como un oasis de frescura y verdor.

Los bosques primarios siempreverdes del parque nacional ocupan la mayor parte de su superficie. Lomas Pizote, en el centro, y Montañas Jamaica, en el sureste, son dos de las áreas más representativas de este hábitat, con pendientes de un 20% a un 60%, que reciben una gran cantidad de lluvia. Árboles de hasta 40 metros de altura y una gran abundancia de lianas y epífitas definen estos bosques en los que se encuentran especies como el ceiba *(Ceiba pentandra)*, el gallinazo *(Schizolobium parahyba)*, cuyas flores amarillas aparecen en la época seca, el hule *(Castilla elastica)*, el ron-ron *(Astronium graveolens)* y el fruta dorada *(Virola koschnyi)*.

Los bosques secundarios se localizan sobre terrenos que se dedicaron antiguamente a actividades agropecuarias. Un ejemplo característico se encuentra en Lomas Entierro, situado en el noreste del parque. Estos bosques presentan más especies caducifolias que los anteriores, típicas del bosque seco, como el pochote *(Bombacopsis quinatum)* y el madroño *(Calycophyllum candidissimum)*,

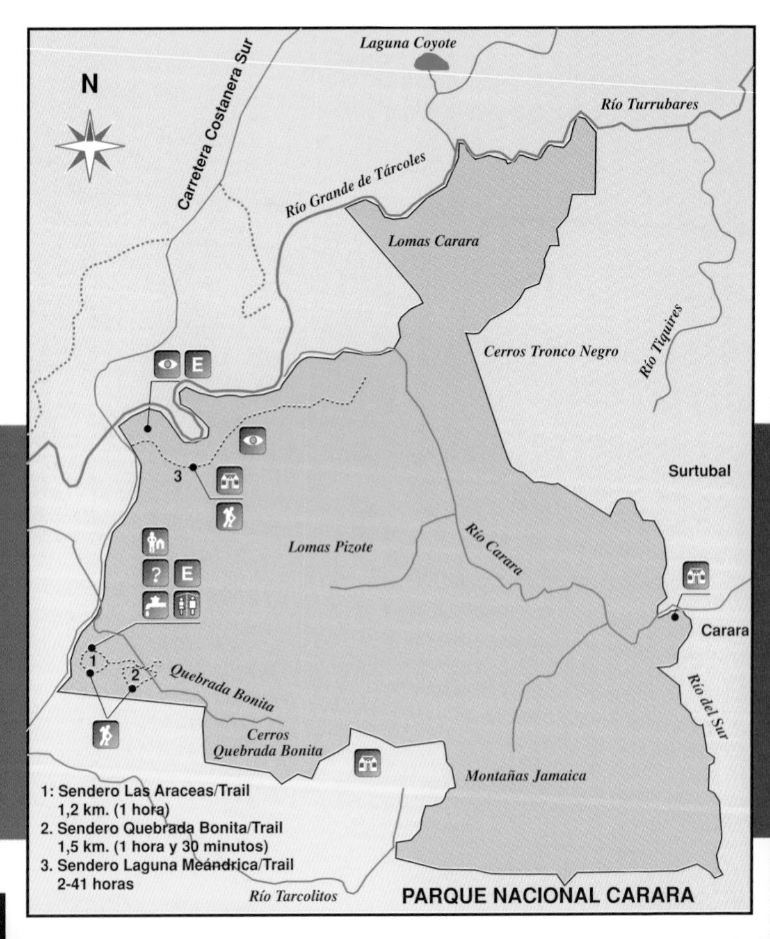

CARARA NATIONAL PARK

Laguna meándrica • Meandric lagoon

The former Carara Biological Reserve, created in 1978 and covering 5,242 hectares, was declared a national park in 1998. Due to the fact that Carara covers a transitional area that straddles a drier region to the north and a wetter one to the south it is home to a wide diversity of flora, with over 1,400 species of plants and a predominance of evergreen species. Crossed by a number of streams, most of which flow all year round, the protected area forms a cool and verdant oasis during the driest season.

Aracea • Aracea

The national park's primary evergreen forests occupy most of its surface area. Lomas Pizote in the center and Montañas Jamaica to the southeast are two of the most representative areas of this habitat, with gradients of between 20% and 60% and high rainfall. Trees up to 40 meters high and a great abundance of lianas and epiphytes are the main features of these forests, in which species such as the silk-cotton tree *(Ceiba pentandra)*, gallinazo *(Schizolobium parahyba)*, whose yellow flowers bloom during the dry season, the Panama rubber tree *(Castilla elastica)*, Goncalo alves *(Astronium graveolens)* and banak *(Virola koschnyi)* are to be found.

Secondary forests are situated on terrain that was previously used for farming. A characteristic example of this is to be found at Lomas Entierro in the northeast of the park. These forests contain more deciduous species than the aforementioned ones. They are trees typical of dry forest, such as pochote *(Bombacopsis quinatum)* and the madroño or lemonwood *(Calycophyllum candidissimum)*, and these alternate with enclaves of the viscoyol palm *(Bactris minor)* and examples of royal palm *(Scheelea rostrata)*.

The gallery forests along the river banks are thick, with a high canopy and little species diversity. Many trees have buttress trunks. The most common species are the espavel *(Anacardium excelsum)*, ojoche *(Brosimum alicastrum)*, guayabón or surá *(Terminalia oblonga)* and possum-wood *(Hura crepitans)*, which produces extremely caustic latex.

Carara is also important from a geobotanical point of view for being the most northerly part of the distribution range of a number of tree species such as the purple heart *(Peltogyne purpurea)*, butternut *(Caryocar costaricense)* and South

que se alternan con rodales de palma viscoyol *(Bactris minor)* y ejemplares de palma real *(Scheelea rostrata).*

Los bosques de galería, que se encuentran en las márgenes de los ríos son densos, con un alto dosel forestal y con poca diversidad de especies. Muchos árboles presentan gambas o contrafuertes. Las especies más frecuentes son el espavel *(Anacardium excelsum),* el ojoche *(Brosimum alicastrum),* el guayabón o surá *(Terminalia oblonga)* y el javillo *(Hura crepitans),* cuyo látex es muy cáustico.

Carara es también importante desde el punto de vista geobotánico por ser el área de distribución más septentrional para varias especies de árboles como el nazareno *(Peltogyne purpurea),* el ajo *(Caryocar costaricense)* y el vaco *(Brosimum utile).* Al noroeste del parque, las inundaciones del río Grande de Tárcoles –que durante varios kilómetros constituye el límite norte del área protegida–, forman numerosas ciénagas muy ricas en aves zancudas y vadeadoras, así como en anfibios y reptiles. Una laguna en forma de U ocupa un extenso meandro abandonado por el río Grande de Tárcoles de unos 600 m de longitud, 40 m de ancho y 2 m de profundidad. Esta laguna se encuentra prácticamente cubierta en su totalidad por la choreja o lirio de agua *(Eichornia crassipes)* y otras plantas acuáticas flotantes. En ella viven grandes cocodrilos *(Crocodylus acutus)* que pueden alcanzar los 4 metros de largo y numerosas aves acuáticas como las espátulas rosadas *(Platalea ajaja),* las anhingas americanas *(Anhinga anhinga)* y las jacanas centroamericanas *(Jacana spinosa).* Los cocodrilos son también abundantes y fáciles de observar en el río Grande de Tárcoles.

Además de la abundante fauna acuática concentrada en la laguna y en las ciénagas existe, a pesar de su aislamiento, una variada fauna en el resto del parque nacional. Entre los mamíferos destaca la presencia del perezoso de dos dedos *(Choloepus hoffmanni),* así como la del zorro de cuatro ojos *(Philander opossum),* la martilla *(Potus flavus),* el caucel *(Felis wiedii),* el saíno *(Tayassu tajacu)* y el

Río Grande de Tárcoles • Grande de Tárcoles River

EL GUACAMAYO MACAO *(Ara macao)*

Es una de las aves más amenazadas no sólo en Costa Rica sino también en el resto de Centroamérica. Conocida con los nombres de lapa roja o lapa colorada, esta especie pertenece a la familia de los Psitácidos o loros.

Es inconfundible por la riqueza de colorido de su plumaje. De un color escarlata brillante, la parte inferior del dorso, la rabadilla y las plumas subcaudales son de color azul celeste. Tiene una notable mancha amarilla en las cobertoras alares. La cola es muy larga y puntiaguda. El pico grande y robusto, es bicolor con la mandíbula superior color amarillo marfil y la inferior negra. El iris del ojo es amarillo.

Esta especie forestal se alimenta básicamente de los frutos de los árboles. Aprovechando una cavidad en ellos o en nidos abandonados de pájaros carpinteros construyen su nido donde depositan uno o dos huevos que son incubados por la hembra. El macho, mediante regurgitación alimenta a su compañera y posteriormente a los pollos que nacen ciegos y prácticamente desnudos. Cuando van creciendo ambos progenitores les proporcionan el alimento.

Viven en parejas o grupos familiares, aunque a veces se reúnen en bandadas que hasta no hace muchos años estaban formadas por hasta más de 50 individuos. Pero hoy es muy difícil observarlos en Costa Rica ya que desde 1950 prácticamente desaparecieron de la vertiente del Caribe. Actualmente las poblaciones más importantes en la costa pacífica costarricense son las del Parque Nacional Carara y, más al sur, las del Parque Nacional Corcovado.

Bosque de galería • Gallery forest

(Eichhornia crassipes) and other floating aquatic plants. It is home to large American crocodiles *(Crocodylus acutus)* that can grow up to four meters and numerous aquatic birds such as the roseate spoonbill *(Platalea ajaja)*, anhinga *(Anhinga anhinga)* and northern jacanas *(Jacana spinosa)*. Crocodiles occur in large numbers and are easy to spot in the Grande de Tárcoles River.

Besides the abundant aquatic fauna living in, on and around the lake and the

Guacamayo macao • Scarlet macaw

American milk tree or cow tree *(Brosimum utile)*.

In the northwest of the park, the floodplains of the Grande de Tárcoles River, which represents the northern boundary of the protected area for several kilometers, forms lots of swamps that are extremely rich in aquatic birds and waders, as well as amphibians and reptiles. The meandering Grande de Tárcoles River has left behind it an extensive U-shaped oxbow lake some 600-m long, 40 m wide and 2 m deep. This lagoon is almost entirely covered in water hyacinth

THE SCARLET MACAW *(Ara macao)*

This is one of the most threatened birds not only in Costa Rica, but also throughout the rest of Central America. Popularly known as the scarlet macaw, this species belongs to the Psittacine or parrot family.

It is unmistakable due to the rich red coloring of its plumage. Bright scarlet in color, the lower part of its back, its rump and lower caudal feathers are sky blue. There is also an obvious yellow patch on the upper feathers of the wings. Its tail is very long and pointed. It has a large and sturdy two-colored beak, an ivory-yellow upper part and a black lower part. It has a yellow iris.

This forest species feeds mainly on fruits. Taking advantage of a natural cavity in a tree trunk or of an abandoned woodpecker nest, the scarlet macaw builds a nest of its own to hold one or two eggs, which are then incubated by the female. The male regurgitates food for his mate and later for the chicks. They are blind and virtually bare when they hatch. When they are bigger, both parents feed them.

They mostly live in pairs or family groups, but sometimes get together in flocks, which until not many years ago numbered over fifty birds. Nowadays, however, it is extremely difficult to spot them in Costa Rica as since 1950 they have practically disappeared from the Caribbean side. Today, the most important populations on Costa Rica's Pacific coast are those in Carara National Park and, further south, in Corcovado National Park.

INFORMACIONES PRÁCTICAS

- **LOCALIZACIÓN:** en la llanura del Pacífico Central, a 91 km al oeste de San José, en las provincias de Puntarenas y San José, limitada al norte por el río Grande de Tárcoles y al oeste por la carretera Costanera Sur.
- **ACCESOS:** desde San José se accede por carretera vía Orotina-Costanera Sur. La Administración se encuentra 2 km al sur del puente sobre el río Grande de Tárcoles. Existe un servicio de autobuses San José-Orotina-Quepos con parada frente a la Administración del parque.
- **SERVICIOS:** en el área administrativa hay una zona para almorzar con servicios y agua potable. Existen tres senderos: el sendero Las Araceas, de 1,2 km y una hora de duración; el sendero Quebrada Bonita, de 1,5 km y una hora y media de duración, y el sendero Laguna Meándrica, que se tarda de dos a cuatro horas en recorrerlo.
- **ALOJAMIENTO:** en Orotina, Herradura y Jacó hay hoteles, restaurantes y supermercados. A lo largo de la carretera Costanera Sur se localizan también numerosos hoteles y restaurantes.
- **DIRECCIONES DE INTERÉS:** para más información llamar al Telf.: (506) 200-5023; fax: (506) 416-5017; o al móvil del parque: (506) 383-9953; e-mail: acopac@go.cr

venado colablanca *(Odocoileus virginianus)*. En Carara vive una población viable del escaso guacamayo macao *(Ara macao)*, prácticamente desaparecido de todo el Pacífico seco. Otras aves son el arasarí acollarado *(Pteroglossus torquatus)*, el tinamú oliváceo *(Tinamus major)*, el zopilote rey *(Sarcoramphus papa)* y el trogón violáceo *(Trogon violaceus)*.

En el parque se han excavado 14 sitios arqueológicos, por ahora no abiertos al público, pertenecientes a ocupaciones indígenas precolombinas. Lomas Entierro, denominada así por encontrarse allí un cementerio indígena, fue un importante enclave precolombino que dominó política y económicamente la zona baja del río Grande de Tárcoles.

Trogón violáceo • Violaceaus trogon

Cocodrilo • Crocodile

PRACTICAL INFORMATION

- **Location:** on the Central Pacific plain, 91 km to the west of San José in the provinces of Puntarenas and San José, bordered to the north by the Grande de Tárcoles River and to the west by the Costanera Sur Highway.
- **Access:** the park can be reached by road from San José via Orotina-Costanera Sur. The administration center is located two kilometers south of the bridge that crosses the Grande de Tárcoles River. There is a bus service that covers the San José-Orotina-Quepos route and stops in front of the park administration center.
- **Services:** within the administration compound there is a picnic area, with toilets and drinking water. There are three official trails: the Las Araceas Trail, 1.2 km long that takes one hour; the 1.5-km Quebrada Bonita Trail (1.5 hours' walking time) and the longer Laguna Meándrica Trail, which takes between two and four hours to cover.
- **Accommodation:** in Orotina, Herradura and Jacó there are hotels, restaurants and supermarkets. There are also lots of hotels and restaurants all along the Costanera Sur Highway.
- **Useful addresses:** for further information, call Tel.: (506) 200-5023; fax: (506) 416-5017; or call the park mobile (506) 383-9953; e-mail: acopac@go.cr

Garceta grande • Grreat egret

swamps, a large variety of wildlife is to be found throughout the rest of the national park despite its isolated location. The mammals include two-toed sloth *(Choloepus hoffmanni)*, gray four-eyed opossum *(Philander opossum)*, kinkajou *(Potus flavus)*, margay *(Felis wiedii)*, collared peccary *(Tayassu tajacu)* and White-tailed deer *(Odocoileus virginianus)*.

Carara is also home to a viable population of the rare scarlet macaw *(Ara macao)*, a species that has practically disappeared from the whole of the Dry Pacific Region. Other birds include the great tinamou *(Tinamus major)*, the king vulture *(Sarcoramphus papa)*, collared aracari *(Pteroglossus torquatus)* and violaceous trogon *(Trogon violaceus)*.

Fourteen pre-Columbian archaeological sites have been excavated in the park although they are not yet open to the public. Lomas Entierro, named after the indigenous Indian cemetery discovered there, was an important pre-Columbian enclave that exerted political and economic domination over the area around the lower reaches of the Grande de Tárcoles River.

Bosque primario siempreverde • Primary evergreen forest

PARQUE NACIONAL MANUEL ANTONIO

Playa Espadilla Sur • Espadilla Sur Beach

El Parque Nacional Manuel Antonio, en la costa pacífica costarricense, fue establecido en el año 1972 con una extensión de 1.625 ha terrestres y 55.000 ha marinas. Está considerado como una de las áreas protegidas de mayor belleza escénica de toda Costa Rica.

En el parque se distinguen cuatro unidades geomorfológicas de gran interés. La primera es el tómbolo de Punta Catedral. La formación de este tómbolo arenoso que hoy une la Punta Catedral con el continente se realizó por la convergencia de dos corrientes de deriva litoral, paralelas a la costa, que aportaron la arena al chocar con la isla. Aquí se encuentran las dos playas principales del parque, la playa Espadilla Sur o playa Dos, la más cercana a lo que hoy es la salida del parque, con 800 metros de longitud y arenas blancas, y la playa Manuel Antonio, conocida también como playa Tres o playa Blanca, de una gran belleza, con arenas blancas y una suave pendiente que garantiza un baño seguro.

La segunda, es el hoyo soplador de Puerto Escondido, situado en una pequeña playa rodeada de acantilados. Se trata

MANUEL ANTONIO NATIONAL PARK

Playa Manuel Antonio • Manuel Antonio Beach

Manuel Antonio National Park on the Pacific coast of Costa Rica was established in 1972 over 1625 ha of land and 55,000 ha of marine habitat. It is regarded as one of the most scenically lovely protected areas in Costa Rica.

In the park there are four distinct interesting geomorphological units. The first is the tombolo at Punta Catedral. This sandy tombolo, which now joins Punta Catedral to the mainland, formed through the convergence of two currents of coastal drift, parallel to the coast, which brought the sand when it came into contact with the island. The park's two main beaches are here. Espadilla Sur or Playa Dos, the nearest to what is nowadays the park exit, consists of 800 meters of white sand, while the very lovely Playa Manuel Antonio, also known as Playa Tres or Playa Blanca, has white sand and a gentle slope that ensures safe bathing.

Busardo colorado • Black-collared hawk

The second is the blowhole of Puerto Escondido on a small beach surrounded by cliffs. It is a rocky spur that has a tunnel-like hole inside it through which, at high tide, the sudden gushes of rushing water produce a characteristic sound. Access depends on the tides. The third is Serrucho Point in the south-west of the park, a formidable cliff with a very irregular surface, which resembles a saw, with lots of caves formed by the erosive action of the sea. The fourth is the underwater turtle trap, of pre-Colombian origin, located at the western end of Manuel Antonio Beach.

Isla Olocuita • Olocuita Island

EL MANZANILLO DE PLAYA O EL ÁRBOL VENENOSO

En primera línea de playa se localiza un árbol colonizador que crece bien sobre la arena y que ofrece una agradable sombra. Se trata del manzanillo de playa *(Hippomane mancinella)*, un árbol pequeño, muy ramificado, siempreverde y con hojas de un color verde brillante. Sus frutos son semejantes a una manzana, presentando un color amarillento que se encuentran a veces en grandes cantidades sobre la playa.

Pero esta apacible sombra puede ser muy peligrosa para el que la utiliza, ya que las hojas, la corteza y los frutos de este árbol producen un látex blanco muy irritante sobre la piel, muy venenoso y que puede ser mortal cuando es ingerido. Este látex afecta particularmente a los ojos y a la boca y produce severas inflamaciones y ampollas en la piel de algunas personas. Si se usa su madera como leña, el humo causa también inflamación en los ojos.

El manzanillo de playa, que en algunos países como Brasil le llaman el árbol de la muerte, es el árbol más venenoso de Costa Rica. La forma natural de tratar estos envenenamientos es dar al intoxicado una gran cantidad de jugo de limón agrio, aunque siempre es aconsejable acudir al médico tras la intoxicación.

de un espolón rocoso que tiene un pasadizo en su interior, a través del cual se produce, cuando sube la marea, un flujo de agua muy violento que emite un característico sonido y que lanza, de repente, un fuerte chorro de agua. El acceso depende de las mareas. La tercera es Punta Serrucho, al suroeste del parque, un formidable acantilado de superficie muy irregular que le asemeja a un serrucho, con numerosas cuevas formadas por la acción erosiva del mar. El cuarto es la trampa submarina para tortugas, de origen precolombino, localizada en el extremo oeste de la playa Manuel Antonio.

Los principales hábitats del parque son el bosque primario, formado por árboles como el guapinol negro *(Cynometra hemitomophylla)*, especie maderable endémica de Costa Rica y amenazada de extinción, el María *(Calophyllum brasiliense)*, el guácimo colorado *(Luehea seemannii)* y el ceiba *(Ceiba pentandra)*; el bosque secundario, que cubre antiguas áreas de cultivo o de pastoreo, con especies como la balsa *(Ochroma lagopus)*, el guácimo *(Guazuma ulmifolia)*, el peine de mico *(Apeiba tibourbou)* y el vaco o lechoso *(Brosimum utile)*, que exuda un látex blanquecino que se puede beber como la leche. En Punta Catedral se encuentra un bosque secundario muy desarrollado en el que abunda el manglillo *(Aspidosperma cruentum)*.

El manglar, que ocupa unas 18 ha está dominado por el mangle colorado *(Rhizophora mangle)*, el botoncillo

Tómbolo de Punta Catedral • Tombolo of Punta Catedral

THE MANCHINEEL OR POISON TREE

Right on the beach there is a colonizer tree that grows well on sand and which provides pleasant shade. The small evergreen manchineel *(Hippomane mancinella)* has lots of branches and bright green leaves. Its fruits, similar to a yellowish apple, can often be found on the beach in large quantities.

However, the peaceful shade may be very dangerous for anyone taking advantage of it as the leaves, bark and fruit of this tree produce a white latex that is very irritating to the skin, highly poisonous and may even be fatal when ingested. This latex particularly affects the eyes and mouth and produces severe inflammation and boils on some peoples' skin. If its wood is used as fuel, the smoke also causes inflammation of the eyes.

The manchineel, which in some countries, such as Brazil, is called the 'death tree', is the most poisonous tree in Costa Rica. The natural way to treat cases of poisoning is to give the victim a lot of bitter lemon juice although it is always advisable to see a doctor.

Manzanillo • Manchineel

The park's main habitats are primary forest consisting of trees such as the guapinol negro *(Cynometra hemitomophylla)*, a forestry species endemic to Costa Rica and threatened with extinction, the Santa María *(Calophyllum brasiliense)*, cotonron *(Luehea seemannii)* and silk-cotton tree *(Ceiba pentandra)*; the secondary forest that covers former areas of arable land or grazing land, with species such as balsa *(Ochroma lagopus)*, bastard cedar *(Guazuma ulmifolia)*, monkey comb *(Apeiba tibourbou)* and milk tree *(Brosimum utile)*, which exudes a whitish latex that can be drunk like milk. At Catedral Point there is a very well grown secondary forest with abundant manglillo *(Aspidosperma cruentum)*.

The 18-hectare mangrove swamp is dominated by red mangrove *(Rhizophora mangle)*, buttonwood *(Conocarpus erecta)* and white mangrove *(Laguncularia racemosa)*. Some herbaceous or free-standing water lagoons cover small areas in the interior, such as those situated between Espadilla Sur Beach and Manuel Antonio Beach. The largest is Laguna Negra on the north-eastern border of the park, which is difficult to get to. On the beach there are trees such as poisonous manchineel *(Hippomane mancinella)*, Panama wrod *(Sterculia apetala)* and coconut palm *(Cocos nucifera)*.

The wildlife is very varied. Among the mammals it is easy to spot white-faced capuchin monkey *(Cebus capucinus)* and mantled howler monkey *(Alouatta palliata)*. There are lots of squirrels *(Sciurus granatensis)* and two raccoon species, the crab-eating raccoon *(Procyon cancrivorus)* and common raccoon *(Procyon lotor)*. One mammal that is threatened due to its small distribution range is a subspecies of squirrel monkey *(Saimirii*

Arasarí piquinaranja • Fiery-billed aracari

INFORMACIONES PRÁCTICAS

- **Localización:** en la costa pacífica, en la provincia de Puntarenas, 7 km al sur del puerto de Quepos y a 174 km de San José.
- **Accesos:** existe un servicio de avión y autobús San José-Quepos y de autobús y taxi entre Quepos y Manuel Antonio. Por carretera, desde San José hasta el parque hay que pasar por Atenas, Herradura, Jacó, Parrita y Quepos.
- **Servicios:** al parque no se puede acceder en vehículo. Los principales senderos a recorrer a pie son el de la Quebrada La Catarata, que se inicia a la izquierda del camino que actualmente conduce desde la entrada del parque a la playa de Manuel Antonio, el de Punta Catedral, que rodea la antigua isla, de 1,4 km, el de las Playas Gemelas y Puerto Escondido, de 1,6 km, y el del Mirador Punta Serrucho, de 1,3 km. Existen dos áreas para almorzar en las playas Espadilla Sur y Manuel Antonio, con mesas, lavabos y agua potable.
- **Alojamiento:** en Quepos y en los alrededores del parque existen hoteles, pensiones, restaurantes y zonas privadas para acampar.
- **Direcciones de interés:** Telf.: (506) 777-5185, (506) 777-5155; fax: (506) 777-4122; e-mail: osrap@minae.go.cr

(Conocarpus erecta) y el mariquita *(Laguncularia racemosa)*. Algunas lagunas herbáceas o de aguas libres cubren pequeñas áreas en el interior, como las situadas entre las playas Espadilla Sur y Manuel Antonio. La mayor es la Laguna Negra, de difícil acceso, situada en el límite nororiental del parque. En la playa crecen árboles como el venenoso manzanillo *(Hippomane mancinella)*, el panamá *(Sterculia apetala)* y el cocotero *(Cocos nucifera)*.

La fauna es muy variada. Entre los mamíferos resulta sencillo observar a los monos carablanca *(Cebus capucinus)* y a los monos congo *(Alouatta palliata)*. Son también abundantes las ardillas *(Sciurus granatensis)* y dos especies de mapachines, el cangrejero *(Procyon cancrivorus)* y el común *(Procyon lotor)*. Un mamífero amenazado de extinción por su reducida distribución geográfica es una subespecie del mono ardilla *(Saimirii oerstedii citrinellus)*, endémico de Costa Rica, que sólo se encuentra protegido en este parque nacional.

Se han censado 184 especies de aves, entre ellas el arasarí piquinaranja *(Pteroglosus frantzii)*, el martín pescador verde *(Chloroceryle americana)* y el busardo colorado *(Busarellus nigricollis)*. El parque incluye 12 islas que quedan a escasa distancia de la costa, que constituyen excelentes refugios para las aves marinas e importantes áreas de nidificación para el piquero pardo *(Sula leucogaster)*.

En las playas, en las que ocasionalmente nidifican las tortugas verdes del Pacífico *(Chelonia mydas)* y las tortugas loras *(Lepidochelys olivacea)*, es fácil observar a los garrobos *(Ctenosaura similis)*, así como a dos especies de cangrejos, *Gecarcinus quadratus* y *Cardisoma crassum*. En el mar se han identificado 10 especies de esponjas, 19 de corales, 24 de crustáceos, 17 de algas y 78 de peces. En las aguas litorales del parque es común observar el paso de los delfines y a veces se pueden ver ballenas en sus rutas migratorias.

Bosque primario • Primary forest

Cangrejo de mar • Sea crab

PRACTICAL INFORMATION

- **Location:** on the Pacific coast in Puntarenas province, 7 kilometers south of the port of Quepos and 174 kilometers from San José.
- **Access:** there are plane and bus services on the San José-Quepos route and buses and taxis between Quepos and Manuel Antonio. By road, from San José to the park, you have to pass through Atenas, Herradura, Jacó, Parrita and Quepos.
- **Services:** the park is not accessible in a vehicle. The main footpaths are the one to La Catarata Gorge, which starts to the left of the road that currently leads from the park entrance to Manuel Antonio Beach, the Punta Catedral Trail, which goes round the former 1.4-km island, the Playas Gemelas Trail and Puerto Escondido Trail, which is 1.6 km long and the 1.3-kilometer Punta Serrucho Lookout Point. There are two areas to picnic on Espadilla Sur Beach and Manuel Antonio Beach, with tables, toilets and drinking water.
- **Accommodation:** in Quepos and near the park there are hotels, guest houses *(pensiones)*, restaurants and private campsites.
- **Useful addresses:** Tel.: (506) 777-5185; (506) 777-5155, fax: (506) 777-4122; e-mail: osrap@minae.go.cr

Pizote • White-nosed coatí

Mono ardilla • Squirrel monkey

Martilla • Kinkajou

Águila pescadora • Osprey

oerstedii citrinellus), which is endemic to Costa Rica and only protected in this national park.

One hundred and eighty four species of birds have been identified, including fiery-billed aracari *(Pteroglosus frantzii)*, green kingfisher *(Chloroceryle americana)* and black-collared hawk *(Busarellus nigricollis)*. The park includes 12 islands lying a short distance from the coast which make excellent refuges for seabirds and important nesting areas for brown booby *(Sula leucogaster)*.

On the same beaches where green turtles *(Chelonia mydas)* and Pacific ridley turtles *(Lepidochelys olivacea)* occasionally nest, it is easy to spot iguanas *(Ctenosaura similis)*, as well as two species of crabs *Gecarcinus quadratus* and *Cardisoma crassum*. In the sea 10 species of sponges, 19 coral species, 24 crustaceans, 17 algae and 78 fish have been identified. In the park's coastal waters you can often catch sight of passing dolphins and, occasionally, whales on migration.

PARQUE NACIONAL LA CANGREJA

Sendero Plinia • Plinia trail

El Parque Nacional La Cangreja, con una superficie de 1.937 ha, se encuentra situado en un cerro basáltico bastante escarpado, cuya silueta recuerda vagamente el dibujo de un cangrejo gigante, del que le viene el nombre. En su cumbre, situada a 1.305 m de altitud, aparecen desnudos los basaltos, mientras que por sus laderas trepan los bosques primarios.

El parque nacional protege los nacimientos de numerosas fuentes de agua, entre ellas las que dan origen al río Negro y

EL MONO CARABLANCA *(Cebus capucinus)*

El mono carablanca es uno de los primates que pueden observarse más fácilmente en las áreas protegidas de Costa Rica. De tamaño mediano, es inconfundible por su pelaje negro que contrasta con el color amarillo cremoso, casi blanquecino, de su cabeza, pecho y hombros y con su cara rosada. Su cola prensil le facilita poder moverse con agilidad entre las ramas de los árboles.

Su hábitat natural son las masas boscosas, incluidos los manglares, aunque no duda en trasladarse a zonas abiertas o a áreas cultivadas buscando su alimento o agua.

De costumbres básicamente diurnas, son más activos por la mañana que por la tarde. Es un animal gregario que vive en grupos que varían desde los cinco hasta los treinta individuos.

Su alimentación, fundamentalmente vegetariana, se basa en frutos silvestres, semillas, yemas y flores, y también, aunque en menor cantidad, de insectos y sus larvas. Actúan como agentes importantes en la dispersión de las semillas de muchos árboles. Cada grupo defiende su propio territorio en el estrato forestal, que oscila entre 0,1 y 1 km^2, y expulsan a otros monos carablanca que penetran en él. Las hembras paren una cría tras una gestación entre cinco y seis meses, habitualmente durante la estación seca. Cuando se acostumbran no tienen ningún reparo en acercarse al hombre para intentar apoderarse de su comida como sucede, por ejemplo, en las playas del Parque Nacional Manuel Antonio.

LA CANGREJA NATIONAL PARK

Vista general • General view

La Cangreja National Park, which covers 1,937 ha, is located on a fairly steep hill of basalt rock whose vague crab-like shape gives it its name. The 1,305-m-high peak consists of bare basalt rock, while the slopes are clad in primary forest.

The national park provides protection for many water sources, including those of the River Negro and the Quebrada Grande. The rugged terrain in the upper sections of these rivers where they run through the park interior gives rise to many waterfalls.

This primary forest has one of the largest number of tree species per hectare in Costa Rica. As many as 148 tree species have been recorded, including the very tall jicarillo *(Lecythis mesophylla)*, purple heart *(Peltogyne purpurea)*, cedro maría *(Calophyllum longifolium)* and silk-cotton tree *(Ceiba pentandra)*. One of the most abundant species in these tracts of forest is the mayo *(Vochysia megalophylla)*, a medium-sized tree with yellow flowers. The undergrowth contains an abundance of bracken ferns *(Pteridium* spp.) and palms *(Asterogyne martiana)*, which are used as roofing on the ranches.

Mono Carablanca
• White-faced capuchin

THE WHITE-FACED CAPUCHIN
(Cebus capucinus)

The white-faced capuchin is one of the primates that are easiest to spot in Costa Rica's protected areas. This medium-sized monkey is unmistakable for its predominantly black pelage contrasting with the creamy yellow, almost whitish, color on its head, chest and shoulders, and its pinkish face. Its prehensile tail allows it to move agilely among the branches. Although its natural habitat is the forest, including mangrove, it will freely move into open or cultivated areas in search of food or water.

These gregarious animals live in groups of between five and thirty, and their basically diurnal habits mean they are more active in the morning than in the afternoon. Their staple diet is a vegetarian one based on berries, seeds, buds and flowers, supplemented by small amounts of insects and their larvae. They play an important role in the seed dispersal of many trees. Each group defends its own territory in the forest strata, which ranges between 0.1 and 1 km^2, driving out other white-throated capuchins that stray into it. The females give birth to one infant after a five- or six-month gestation period, usually in the dry period. When they become habituated, they are not afraid to approach people to try and snatch food, as happens, for example, on the beaches of Manuel Antonio National Park.

Armadillo • Nine-banded armadillo

a la Quebrada Grande. Debido a lo accidentado del terreno estos ríos, en sus primeros tramos de recorrido por el interior del parque nacional, aparecen salpicados de numerosas cascadas y saltos de agua.

Este bosque primario es uno de los que posee un mayor número de especies arbóreas por hectárea en Costa Rica. Se han censado hasta 148 especies de árboles, entre las que destaca por su altura el jicarillo *(Lecythis mesophylla)*, el nazareno *(Peltogyne purpurea)*, el cedro maría *(Calophyllum longifolium)* y la ceiba *(Ceiba pentandra)*. Una de las especies más abundantes de esta masa forestal es el mayo *(Vochysia megalophylla)*, un árbol de mediano tamaño y flores amarillas.

En el sotobosque son abundantes los helechos machos *(Pteridium* spp.) y las palmas *(Asterogyne martiana)*, que se usan para techar los ranchos. Se han censado hasta 30 especies de plantas endémicas, algunas que sólo se encuentran en esta zona protegida, como el árbol *Plinia puriscalensis*, que produce sus frutos en el tronco, y el arbusto *Ayenia mastatalensis*.

Debido a sus pequeñas dimensiones y al hecho de permanecer aislado de otras áreas de conservación, en cierta manera el sitio se convierte en una isla, por lo que las poblaciones de vertebrados no son muy abundantes. Entre los mamíferos sobresale la presencia del mono carablanca *(Cebus capucinus)*, del mapachín *(Procyon lotor)*, del pizote *(Nasua narica)*, del perezoso de dos dedos *(Choloepus hoffmanii)* y del armadillo o cusuco *(Dasypus novemcinctus)*.

Entre las aves están presentes el tinamú oliváceo *(Tinamus major)*, el campanero tricarunculado o pájaro campana *(Procnias tricarunculata)* y el guacamayo macao *(Ara macao)*. Entre los anfibios y reptiles se han encontrado la rana venenosa verdinegra *(Dendrobates auratus)* y tres ofidios: la venenosa terciopelo *(Bothrops asper)*, la serpiente coral centroamericana *(Micrurus nigrocinctus)* y la boa constrictora *(Boa constrictor)*. Los lepidópteros son muy variados y numerosos, y entre ellos destaca por su belleza la mariposa morfo azul *(Morpho peleides)*.

El parque nacional limita con la Reserva Indígena de Zapatón.

INFORMACIONES PRÁCTICAS

- **Localización:** al suroeste de San José, en la provincia de Puntarenas, 42 kilómetros al suroeste de Puriscal.
- **Accesos:** desde San José a través de las poblaciones de Santa Ana, Ciudad Colón y Santiago se llega a Puriscal. Desde allí por carretera de lastre (45 km), siguiendo la antigua vía a Parrita, con una desviación señalizada que conduce a la entrada del parque nacional.
- **Servicios:** se puede visitar la parte baja del parque a través del sendero Plinia, de 1,8 km de longitud, interpretado por la Fundación Ecotrópica con sede en Puriscal.
- **Alojamiento:** en Puriscal existen hoteles, restaurantes y supermercado.
- **Direcciones de interés:** para cualquier información llamar a la Fundación Ecotrópica, Telf./fax: (506) 416-6359; e-mail: ecotropi@racsa.co.cr

PRACTICAL INFORMATION

- **LOCATION:** southwest of San José, in Puntarenas province, 42 kilometers southwest of Puriscal.
- **ACCESS:** from San José through the towns of Santa Ana, Ciudad Colón and Santiago to Puriscal. From there, along a dirt road (45 km) along the old route to Parrita, where a turn-off to the national park entrance is signposted.
- **SERVICES:** the lower part of the park can be visited along the Plinia Trail, which is 1.8 km long and provided with interpretation by the Fundación Ecotrópica, based in Puriscal.
- **ACCOMMODATION:** in Puriscal there are hotels, restaurants and a supermarket.
- **USEFUL ADDRESSES:** for all information, call the Fundación Ecotrópica, Tel./fax: (506) 416-6359; e-mail: ecotropi@racsa.co.cr

Bosque primario • Primary forest

Up to 30 species of endemic plants have been recorded, some of them only occurring in this protected area. Two examples are the tree *Plinia puriscalensis*, whose fruit grows on its trunk, and the shrub *Ayenia mastatalensis*.

Due to being small and isolated from other conservation areas, this area functions to a certain extent like an island, and, as a result, the vertebrate populations are not very large. Among the mammals are the white-faced capuchin *(Cebus capucinus)*, raccoon *(Procyon lotor)*, white-nosed coati *(Nasua narica)*, two-toed sloth *(Choloepus hoffmanii)* and nine-banded armadillo *(Dasypus novemcinctus)*.

The birds include the great tinamou *(Tinamus major)*, three-wattled bellbird *(Procnias tricarunculata)* and scarlet macaw *(Ara macao)*. On the list of amphibians and reptiles figure the green and black poison dart frog *(Dendrobates auratus)* and three snakes: the poisonous fer-de-lance *(Bothrops asper)*, Central American coral snake *(Micrurus nigrocinctus)* and the boa constrictor *(Boa constrictor)*. There is a particularly important number and range of butterflies, including the lovely common morpho *(Morpho peleides)*.

The national park adjoins Zapatón Indian Reserve.

Caracara chimachima • *Yellow-headed caracara*

PARQUE NACIONAL LOS QUETZALES

Bosque nuboso de montaña • High altitude cloud forest

El Parque Nacional Los Quetzales, creado en el año 2006 con una superficie de 4.117 hectáreas, se encuentra dentro de los límites de la Reserva Forestal Los Santos, espacio protegido establecido en 1975, con objeto de preservar la abundancia de agua y de biodiversidad de la región.

La superficie protegida que se localiza en la cuenca del río Sagreve se encarga de conservar numerosos nacientes de este río, que constituye la principal fuente de agua potable para el consumo humano de la zona. En ella se pueden diferenciar tres pisos altitudinales: el montano alto, el subalpino y el alpino.

Los altos bosques nubosos se encargan de tapizar la mayoría de la superficie del parque nacional. Entre las especies de mayor porte que en ellos se desarrollan están el roble blanco *(Quercus copeyensis)*, el dominante roble negro *(Quercus costarricensis)*, el cipresillo *(Podocarpus macrostachyus)* y el arrayán mora *(Weinmannia wercklei)*. La presencia de epifitas, bromeliáceas, líquenes y esfagnos es algo habitual dentro de estas húmedas masas forestales.

En el sotobosque y en las orillas de los cursos fluviales crecen con fuerza, además de

Mariposas • Butterflies

LOS QUETZALES NATIONAL PARK

Sombrilla de pobre • Poor man's umbrella

Los Quetzales National Park was created in 2006 over 4,117 hectares within the boundaries of Los Santos Forest Reserve, which has been a protected area since 1975 to conserve the region's plentiful supply of water and biodiversity.

The protected land in the basin of the River Sagreve conserves many of the river's tributaries. The Sagreve is the chief source of drinking water for local people. There are three clearly differentiated altitude belts: high montane, subalpine and alpine.

Most of the national park is covered in high-altitude cloud forest. The largest species are main oak *(Quercus copeyensis),* the predominant black oak *(Quercus costarricensis),* white cypress *(Podocarpus macrostachyus)* and arrayán mora *(Weinmannia wercklei).* Epiphytes, bromeliads, lichens and sphagnum moss are common in these tracts of wet forest.

In the undergrowth and along the river banks, besides ferns and mosses, there are two species of poor man's umbrella: *Gunnera insignis* and *Gunnera talamancana.* As along the entire Talamanca Range, here also a large number endemic

Cabezón cabecirrojo • Red-headed barbet

Musgos • Mosses

helechos y musgos, dos especies de sombrilla de pobre: *Gunnera insignis* y *Gunnera talamancana*. Como sucede todo a lo largo de la cordillera de Talamanca, la presencia de numerosos endemismos botánicos es una de las principales características de este espacio protegido.

La fauna es también muy diversa, con la presencia de especies emblemáticas de mamíferos como el amenazado danta o tapir *(Tapirus bairdii)* y los felinos jaguar *(Panthera onca)*, puma *(Felis concolor)* y manigordo *(Felis pardalis)*. También están presentes el cabro de monte *(Mazama americana)*, el pizote *(Nasua narica)*, el saíno *(Tayasu tajacu)* y el puercoespín *(Coendu mexicanus)*.

Aunque los censos aún no están terminados, se sabe que en estas masas forestales viven más de doscientas especies de aves. Destaca por su belleza el quetzal *(Pharomachrus mocinno)*, que da nombre a este parque nacional del Área de Conservación Pacífico Central. Son abundantes y variados los colibríes, con la presencia de poblaciones importantes de colibrí volcanero o colibrí mosca *(Selasphorus flammula)*. En estos bosques nubosos

EL YIGÜIRRO *(Turdus grayi)*

El yigüirro *(Turdus grayi)*, el ave nacional de Costa Rica, también conocido como mirlo pardo, pertenece a la familia de los Túrdidos, formada por casi trescientas especies distribuidas por los cinco continentes. Se diferencia de los otros mirlos de color café por su pico amarillo verdoso y por su iris de color café rojizo. Las patas grisáceas y las plumas que cubren su cuerpo presentan diferentes tonos parduscos, destacando las de la garganta de un color ante pálido con rayas de color café oliva.

Se le puede encontrar desde el nivel del mar hasta más de 2.400 metros de altitud, ocupando todo tipo de hábitats, desde las selvas vírgenes hasta los parques de las ciudades. Su alimentación es muy variada, desde una amplia gama de invertebrados (lombrices, larvas, insectos) hasta pequeños reptiles, pasando por una amplia variedad de frutos. Es frecuente verle buscar alimento entre la hojarasca del suelo.

Como todos los mirlos es un excelente cantor que emite diferentes melodías. Su nombre común de yigüirro hace referencia al sonido de uno de sus cantos. Desde silbidos a notas secas y profundas, con largas notas melódicas, el canto del ave nacional de Costa Rica está considerado por los campesinos como un reclamo para la lluvia.

De marzo a julio construye un amplio nido formado básicamente por barro y materia vegetal sobre las ramas altas de los árboles, perfectamente camuflado por las hojas. Las hembras depositan en él de dos a tres huevos de una tonalidad azulada, fuertemente moteados. La hembra se encarga de la incubación y los pollos nidícolas abandonan el nido antes de transcurrir dos semanas de su nacimiento. Algunas parejas realizan dos puestas al año.

Esta especie, cuya área de distribución se extiende desde el nordeste de México hasta el norte de Colombia, se encuentra distribuida en Costa Rica por todo el país, donde es muy abundante en algunas regiones.

Bosque nuboso • Cloud forest

the threatened tapir *(Tapirus bairdii)* as well as jaguar *(Panthera onca)*, puma *(Felis concolor)* and ocelot *(Felis pardalis)*. There are also red brocket deer *(Mazama americana)*, white-nosed coati *(Nasua narica)*, collared peccary *(Tayasu tajacu)* and porcupine *(Coendu mexicanus)*.

Although the censuses are not complete, over two hundred bird species are known to inhabit these forests. There is the lovely resplendent quetzal *(Pharomachrus mocinno)*, which lends its

plant species are a key feature.

The wide variety of wildlife includes iconic mammal species such as

Yigüirro • Clay-colored robin

CLAY-COLORED ROBIN *(Turdus grayi)*

The clay-colored robin *(Turdus grayi)*, Costa Rica's national bird, belongs to the family of the Turdidae, which consists of almost three hundred species distributed over the five continents. It is distinguished from the other coffee-colored robins and blackbirds by its greeny yellow beak and reddish coffee-colored iris. It has grayish legs and its body feathers are different browny shades, while its throat is a pale suede color with olive green coffee-color stripes.

It lives from sea level to above 2,400 meters, occupying all kinds of habitat from virgin jungle to city parks. Its varied feeding habits include a broad range of invertebrates (worms, larvae, insects) and small reptiles, as well as a wide variety of fruit. It can often be seen foraging amongst the leaf litter on the ground.

Like all blackbirds, its fine song includes different melodies. Its common name in Spanish, 'yigüirro', refers to the sound of one of its songs. The range of sounds vary from whistles to sharp deep sounds and long melodic notes, and country people regard the song of Costa Rica's national bird as a call for rain.

From March to July it builds a large nest basically of mud and plant matter. High amidst the uppermost branches, it is perfectly camouflaged by the leaves. The female lays two to three bluish speckled eggs and incubates them. The nest-bound chicks leave the nest within two weeks of hatching. Some pairs lay two clutches a year.

The distribution range of this species extends from north-eastern Mexico to northern Colombia. In Costa Rica, it is found throughout the country, occurring in large numbers in some regions.

Bosque nuboso • Cloud forest

es fácil ver o escuchar a algunos piciformes como el cabezón cabecirrojo *(Eubucco bourcierii)* o el carpintero bellotero *(Melanerpes formicivorus)*. Entre los paseriformes sobresale el yigüirro *(Turdus grayi)*, el ave nacional de negruzco o escarchero *(Turdus nigrescens)* y el pinchaflor pizarroso *(Diglossa plumbea)*.

Entre las especies de anfibios y reptiles que viven en el parque nacional y que son específicas de la cordillera de Talamanca se encuentran la salamandra montañera del género *Bolitoglossa* y el dragoncillo o lagartija de altura *(Mesaspis monticola)*.

Picohoz coliverde • White-tipped sicklebill

INFORMACIONES PRÁCTICAS

- **Localización:** al sur de San José, en la provincia del mismo nombre, sobre la cordillera de Talamanca, en la cuenca del río Sagreve.
- **Accesos:** desde San José por la carretera Interamericana Sur. La Administración se encuentra en las cercanías del río Humo, en el km 74 de la Interamericana Sur.
- **Servicios:** es un parque recién creado, aún no abierto al gran público que carece de servicios al visitante.
- **Alojamiento:** a lo largo de la carretera Interamericana Sur existen numerosos hoteles y restaurantes.
- **Direcciones de interés:** para una mayor información llamar a los teléfonos (506) 541-1555 y (506) 541-1140.

PRACTICAL INFORMATION

- **Location:** south of San José in the province of the same name above the Talamanca Mountain Range in the basin of the River Sagreve.
- **Access:** from San José along the Interamerican Sur Highway. The park offices are near the River Humo at Km.74 on the Interamericana Sur.
- **Services:** this new park is not yet open to the public as there are no visitor services.
- **Accommodation:** there are many hotels and restaurants along the Interamericana Sur Highway.
- **Useful addresses:** for more information call Tels. (506) 541-1555 and (506) 541-1140.

Candelita collareja • Collared redstart

Hongos • Fungi

Bromelias • Bromeliads

name to this national park within the Central Pacific Conservation Area. There is a plentiful variety of hummingbirds, including large populations of volcano hummingbird *(Selasphorus flammula)*. In these cloud forests Piciformes, such as red-headed barbet *(Eubucco bourcierii)* or acorn woodpecker *(Melanerpes formicivorus)*, are easy to see or hear. The passeriformes feature the clay-coloured robin *(Turdus grayi)*, Costa Rica's national bird, sooty robin *(Turdus nigrescens)* and slaty flowerpiercer *(Diglossa plumbea)*.

Among the species of amphibians and reptiles living in the national park and specific to the Talamanca Range is the salamandra montañera of the genus *Bolitoglossa* and the highland alligator lizard *(Mesaspis monticola)*.

PARQUE NACIONAL PALO VERDE

El Parque Nacional Palo Verde fue creado en 1980 y cubre una superficie de 18.418 hectáreas. Forma parte de una unidad biogeográfica que se conoce como "bajuras del Tempisque", caracterizada por la presencia de un mosaico de diferentes hábitats inundables de llanura delimitados por ríos y por una fila de cerros calcáreos. Pertenece a la Lista de Humedales de Importancia Internacional de la Convención de Ramsar.

Vista general del parque • General view of the park

El área protegida está sujeta a inundaciones estacionales de una gran magnitud. Durante la estación lluviosa, debido a su poco drenaje, la llanura se anega por efecto de la acción combinada de la lluvia, las mareas y los desbordamientos de los ríos Tempisque y Bebedero. Desde los miradores de los cerros Catalina y Guayacán se observa una amplia extensión del área pantanosa y de las aguas del parque, así como de una gran parte de la provincia de Guanacaste.

Palo Verde es uno de los lugares de mayor variedad ecológica del país, con más de 12 hábitats diferentes. Entre ellos se encuentran las lagunas y pantanos salobres y de agua dulce en los que se han identificado hasta 55 plantas acuáticas, siendo una de las más abundantes el lirio de agua *(Eichornia crassipes);* los zacatonales con mangle salado *(Avicennia germinans);* los manglares de las riberas de los ríos Tempisque y Bebedero formados básicamente por

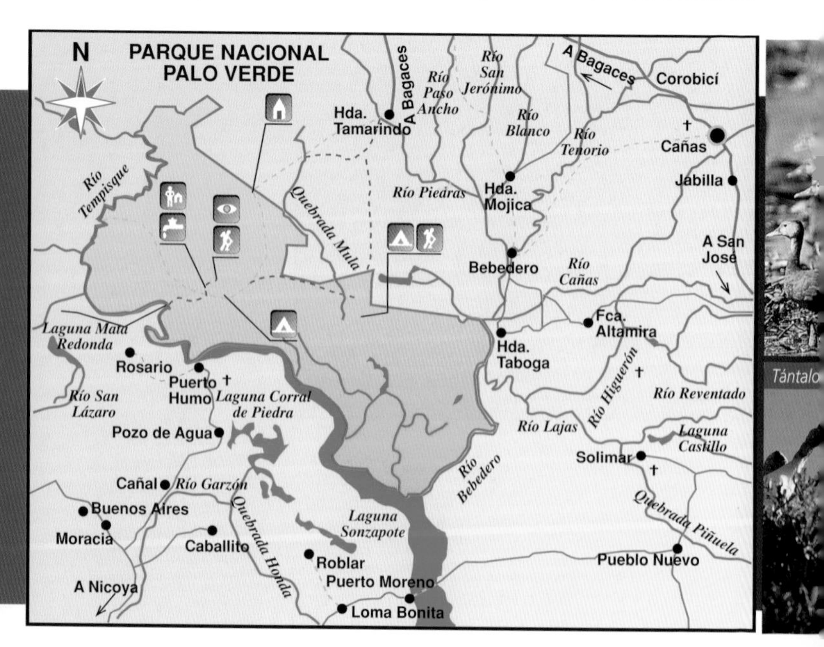

Tántalo

PALO VERDE NATIONAL PARK

Palo Verde National Park, set up in 1980, covers 18.418 hectares. It is part of a biogeographical unit known as 'bajuras del Tempisque', which features a mosaic of different flood plain habitats delineated by rivers and a line of limestone hills. It is on the List of Wetlands of International Importance of the Ramsar Convention.

The protected area is subject to large-scale seasonal flooding. In the rainy season, as a result of the poor drainage, the plain floods due to the combined action of rain, tides and spates of the Rivers Tempisque and Bebedero. From the vantage points on Cerro (Hill) Catalina and Cerro Guayacán there is a sweeping view of the swampy area and the park waters, as well as a large part of Guanacaste province.

Palo Verde is one of the places with the greatest ecological variety in the country, with more than 12 different habitats. They include the lakes and brackish and freshwater swamps in which as many as 55 aquatic plants have been identified, one of the most abundant being the water hyacinth *(Eichornia crassipes)*; tracts of zacatón grass with black mangrove *(Avicennia germinans)*; the mangrove swamps along the banks of the Rivers Tempisque and Bebedero basically consist of four species of mangrove; the grazing land with rough-leaf tree *(Curatella americana)*; low thick forests; mixed deciduous plains forests; mixed forests on limestone

Suirirí piquirrojo • Black-bellied whistling-duck

Wood stork

Espátula rosada • Roseate spoonbill

Garceta grande • Great egret

HUMEDALES DE IMPORTANCIA INTERNACIONAL

La Convención Internacional sobre Humedales, suscrita en 1971 y más conocida como Convención Ramsar, por ser en esta ciudad iraní donde se suscribió dicha convención, ha elaborado una Lista de Humedales de Importancia Internacional, conocida más popularmente como Sitios Ramsar, que deben contar con una protección prioritaria por parte de las Autoridades nacionales debido a su singular importancia ecológica.

En Costa Rica existen 7 Sitios Ramsar:

- Parque Nacional Palo Verde (provincia de Guanacaste).
- Refugio de Vida Silvestre Tamarindo (provincia de Guanacaste).
- Refugio de Vida Silvestre Caño Negro (provincia de Alajuela).
- Humedales del Noreste Caribeño (Tortuguero) (provincia de Limón).
- Refugio de Vida Silvestre Gandoca-Manzanillo (provincia de Limón).
- Reserva Forestal Térraba-Sierpe (provincia de Puntarenas).
- Isla del Coco (provincia de Puntarenas, Océano Pacífico).

cuatro especies de mangle; los pastizales con chumico de palo o raspaguacal *(Curatella americana);* los bosques achaparrados de bajura, los bosques mixtos deciduos de llanura, los bosques mixtos sobre colinas calcáreas, los bosques ribereños o de galería, las sabanas arboladas, en las que predomina el pasto jaragua *(Hyparrhenia rufa);* los bosques anegados y, por último, los bosques siempreverdes.

En el área protegida se han identificado 150 especies de árboles. Uno de los más representativos y el que da el nombre al parque nacional es el palo verde *(Parkinsonia aculeata),* un arbusto espinoso, de ramas, hojas y tronco de color verde claro que en la floración se viste de delicadas flores amarillas. Se localiza prácticamente en todos los hábitats del parque y conserva su aspecto tanto en la estación seca como en la lluviosa. En Palo Verde se ubica la mayor población del país del guayacán real *(Guaiacum sanctum),* un árbol de madera extremadamente pesada y muy apreciada que se encuentra en serio peligro de extinción.

Una de las mayores concentraciones de aves acuáticas y vadeadoras de toda Mesoamérica se encuentra en Palo Verde. De septiembre a mayo varios miles de aves, pertenecientes a unas 60 especies, tanto residentes como migratorias, se concentran en las lagunas y áreas vecinas para alimentarse y reproducirse. Las mayores poblaciones corresponden al suirirí piquirrojo *(Dendrocygna autumnalis),* la zarceta o cerceta aliazul *(Anas discors)* y el tántalo americano *(Mycteria americana).* Entre las especies amenazadas de

Jabirú americano • Jabiru

WETLANDS OF INTERNATIONAL IMPORTANCE

The 1971 International Convention on Wetlands, better known as the Ramsar Convention, Ramsar being the name of the Iranian city where it took shape, has drawn up a List of Wetlands of International Importance, known more popularly as Ramsar Sites, which must receive priority protection from national authorities due to their exceptional ecological importance.

In Costa Rica there are 7 Ramsar Sites:

- Palo Verde National Park (Guanacaste province).
- Tamarindo Wildlife Refuge (Guanacaste province).
- Caño Negro Wildlife Refuge (Alajuela province).
- Wetlands of the North-eastern Caribbean (Tortuguero) (Limón province).
- Gandoca-Manzanillo Wildlife Refuge (Limón province).
- Térraba-Sierpe Forest Reserve (Puntarenas province).
- Isla del Coco (Puntarenas province, Pacific Ocean).

Parque Nacional Palo Verde • Palo Verde National Park

hills; riverine or gallery forest; savannah dotted with trees, where jaragua grass *(Hyparrhenia rufa)* predominates; flooded forests and evergreen forest.

One hundred and fifty tree species have been identified. in the protected area. One of the most representative and one which gave the national park its name is the horse bean *(Parkinsonia aculeata)*, a shrub with branches, leaves and a pale green trunk, which when in flower, is decked out in delicate yellow flowers. It occurs in virtually all the park's habitats and conserves its appearance in the dry and rainy seasons. Palo Verde is home to the country's greatest population of lignum vitae *(Guaiacum sanctum)*, a seriously threatened tree that produces extremely heavy and highly prized wood.

The largest numbers of

Humedal de Palo Verde • Palo Verde wetland

Mono carablanca • White-faced capuchin

Tifa • Cattail

extinción se encuentra el jabirú americano *(Jabiru mycteria)* y el guacamayo macao *(Ara macao)*, ya casi desaparecida de Guanacaste. En total se han censado en el parque nacional 279 especies de aves.

En la isla de Pájaros, con una extensión de 2,3 hectáreas, localizada en el río Tempisque, nidifican 13 especies de aves, entre ellas el morito común *(Plegadis falcinellus)*, la anhinga americana *(Anhinga anhinga)* y la espátula rosada *(Platalea ajaja)*. Esta isla, formada por un denso manglar, posee la colonia nidificante más grande de Costa Rica de martinete común *(Nycticorax nycticorax)*.

Los mamíferos más abundantes son los monos congo *(Alouatta palliata)*, los monos carablanca *(Cebus capucinus)*, los venados colablanca *(Odocoileus virginianus)* y los coyotes *(Canis latrans)*. En las riberas del río Tempisque se han observado cocodrilos *(Crocodylus acutus)* de hasta cinco metros de largo que se desplazan durante los meses de invierno a las lagunas de Palo Verde.

En el área protegida se puede visitar también la cueva del Tigre y la Piedra Hueca, dos espectaculares formaciones cársticas con sus galerías llenas de decoraciones calizas o espeleotemas. En la Botija, Bocana y Sonzapote se han encontrado yacimientos arqueológicos prehispánicos.

INFORMACIONES PRÁCTICAS

- **Localización:** en la provincia de Guanacaste, a unos 20 km de la ciudad de Bagaces, entre los ríos Tempisque y Bebedero. Dista 230 km de San José.
- **Accesos:** a la Administración se llega desde Bagaces por la carretera Panamericana-Tamarindo-Bagatzí. Parte está pavimentada y parte lastrada. También se puede acceder por vía fluvial desde Puerto Humo, en un recorrido fluvial río arriba de 8 km hasta el embarcadero Chamorro que es otra de las entradas al parque.
  Existe un servicio de autobuses San José-Bagaces. En esta población se pueden alquilar taxis.
- **Servicios:** en la sección Negritos se encuentra la Administración y el Servicio de atención al visitante. En la sección Catalina existe una zona de acampada y senderos que conducen al cerro Catalina, laguna Bocana, laguna Nicaragua, el Roble, la Palmita y al río Tempisque. Cerca del puesto de guardaparques de Palo Verde se localiza la Estación Biológica de Palo Verde, un centro de investigación sobre los humedales y los bosques secos administrado por la Organización para Estudios Tropicales (OTS). Existe un sendero educativo entre esta estación científica y el cerro Guayacán.
  El horario de visita es desde las 8.00 a las 16.00 horas.
- **Alojamiento:** en los campings en el interior del parque y en la Estación Científica de la O.T.S. En Bagaces hay hoteles, pensiones, restaurantes y mercados.
- **Direcciones de interés:** para cualquier tipo de información dirigirse a las oficinas de la Subregional Bagaces, Telf.: (506) 671-1290; fax: (506) 671-1062, o al Área de Conservación Tempisque, Telf.: (506) 671-1455, (506) 671-1062; e-mail: act@minae.go.cr
  Para alojarse en la Estación de la OTS comunicarse al Telf.: (506) 524-0607; fax: (506) 524-0608; e-mail: oet@ots.ac.cr

PRACTICAL INFORMATION

- **LOCATION:** in the province of Guanacaste about 20 km from the city of Bagaces between the Rivers Tempisque and Bebedero. It is 230 km from San José.
- **ACCESS:** the administration office can be reached from Bagaces via Pan-American Highway-Tamarindo-Bagatzí. It is partly asphalted and partly paved. It is also possible to access it by river from Puerto Humo on a 8-km river trip upstream as far as the Chamorro jetty, which is another of the entrances to the park. There is a bus service between San José and Bagaces. Taxis can be hired there, too.
- **SERVICES:** the administration and visitor attention service are in the Negritos section. In the Catalina section there is a campsite and trails leading to Cerro Catalina, Bocana Lagoon, Nicaragua Lagoon, El Roble, La Palmita and the River Tempisque. Near the rangers' post at Palo Verde is Palo Verde Biological Station, a research center on wetlands and dry forests run by the Organization for Tropical Studies (OTS). There is an educational trail between the scientific station and Cerro (Hill) Guayacán.
  Visiting hours are from 08.00 to 16.00.
- **ACCOMMODATION:** in the campsites in the interior of the park and at the OTS scientific station. In Bagaces there are hotels, guest houses (*pensiones*), restaurants and markets.
- **USEFUL ADDRESSES:** for all information, contact the Bagaces District office, Tel.: (506) 671-1290; fax: (506) 671-1062; or the Conservation Area, Tel.: (506) 671-1455, (506) 671-1062; e-mail: act@minae.go.cr. For accommodation at the OTS station, call Tel.: (506) 524-0607; fax: (506) 524-0608; e mail: oet@ots.ac.cr

aquatic and wading birds in the whole of Mesoamerica occur in Palo Verde. From September to May, several thousands of birds belonging to around 60 species, both resident and migratory, gather at the lagoons and neighboring areas to feed and breed. The largest numbers are black-bellied whistling duck (*Dendrocygna autumnalis*), blue-winged teal *(Anas discors)* and wood stork *(Mycteria americana)*. Among the threatened species is the jabiru *(Jabiru mycteria)* and scarlet macaw *(Ara macao)* which has already almost died out in Guanacaste. A total of 279 bird species have been recorded in the national park.

Pájaros Island, which covers 2.3 hectares on the River Tempisque, is a nesting site for 13 bird species, including glossy ibis *(Plegadis falcinellus)*, anhinga *(Anhinga anhinga)* and roseate spoonbill *(Platalea ajaja)*. This island, consisting of a thick mangrove, possesses the largest nesting colony of black-crowned night heron *(Nycticorax nycticorax)* in Costa Rica.

The most numerous mammals are mantled howler monkey *(Alouatta palliata)*, white-faced capuchins *(Cebus capucinus)*, white-tail deer *(Odocoileus virginianus)* and coyotes *(Canis latrans)*. On the banks of the River Tempisque American crocodiles *(Crocodylus acutus)*, up to 5 meters long have been seen which in the winter months move to the lagoons of Palo Verde.

In the protected area it is also possible to visit the El Tigre Cave and Piedra Hueca, two spectacular Karst landforms with galleries full of limestone 'decorations' known as speleothems. Pre-Hispanic archaeological remains have been found in La Botija, Bocana and Sonzapote.

Martinete común
• Black- crowned night heron

RESERVA BIOLÓGICA LOMAS DE BARBUDAL

Piñuela • Piñuela

La Reserva Biológica Lomas de Barbudal fue creada en el año 1986 con una superficie de 2.646 hectáreas con objeto de proteger una extensa área del bosque seco tropical y numerosas fuentes de aguas nacientes de ríos. Varios cursos fluviales de aguas permanentes atraviesan la reserva, como por ejemplo el río Cabuyo, que posee excelentes pozas para la natación.

En un área de planicies y colinas con un clima muy seco y caliente se localizan siete hábitats diferentes. Es el bosque decíduo el que ocupa aproximadamente un 70% de la superficie de la reserva. Numerosos árboles de corteza amarilla *(Tabebuia ochracea)* se cubren totalmente, y todos a la vez, de flores amarillas durante el mes de marzo, y es entonces cuando Lomas de Barbudal adquiere su máxima espectacularidad. Son también especies comunes el indio desnudo *(Bursera simaruba)*, el jobo *(Spondias mombin)* y el alcornoque *(Licania arborea)*. Aquí se encuentran especies amenazadas de extinción en el resto del país como el caoba *(Swietenia macrophylla)*, el ron-ron *(Astronium graveolens)* y el cocolobo *(Dalbergia retusa)*.

Los bosques ribereños, siempreverdes, forman franjas a lo largo de los ríos y quebradas y se consideran los más ricos y diversos de toda el

Bosque deciduo • Deciduous forest

LOMAS DE BARBUDAL BIOLOGICAL RESERVE

Río Cabuyo • Cabuyo River

Rodero negro • Black tree

Lomas de Barbudal Biological Reserve was set up in 1986 over 2.646 hectares in order to protect an extensive area of dry tropical forest and the sources of many rivers. Several permanent river courses, the River Cabuyo for example, cross the reserve, which possesses excellent pools for swimming. In an area of plains and hills with a dry hot climate there are seven different habitats.

It is the deciduous forest that occupies approximately 70% of the surface area of the reserve. Many yellow cortez trees *(Tabebuia ochracea)* are totally and simultaneously covered in yellow flowers in March and it is then that Lomas de Barbudal is at its spectacular best. They are also common species the 'indio desnudo' in Spanish or gumbo-limbo *(Bursera simaruba)*, jobo *(Spondias mombin)* and alcornoque *(Licania arborea)*. Here there are species such as the mahogany *(Swietenia macrophylla)*, Goncalo alves *(Astronium graveolens)* and

Inflorescencia • Inflorescence

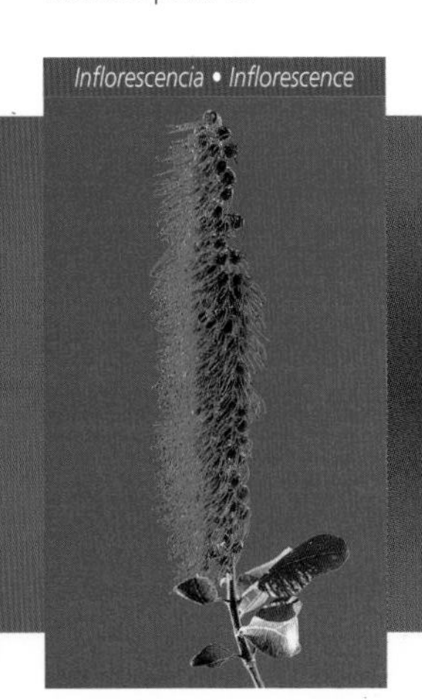

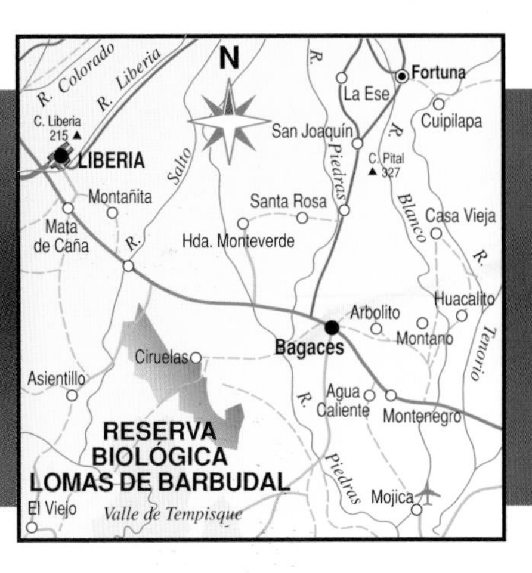

Raspaguacal • Rough-leaf tree

Área de Conservación Tempisque. Son especialmente abundantes en abejas solitarias. Entre sus árboles más representativos están el espavel *(Anacardium excelsum)* y el guapinol *(Hymenaea curbari)*. La sabana tapizada por pastos se encuentra salpicada de árboles como el chumico de palo o raspaguacal *(Curatella americana)* y los nances *(Byrsonima crassifolia)* más grandes que existen en Costa Rica. El resto de los hábitats son el bosque de galería, en el cual la tabla de agua se encuentra a poca profundidad, formado por una mezcla de especies siempreverdes y decíduas; el bosque xerofítico o extremadamente seco, muy rico en cactáceas y bromeliáceas; el bosque de roble *(Quercus oleoides)*, y el bosque en regeneración.

EL CORTEZA AMARILLA

Uno de los árboles más abundantes de Lomas de Barbudal es el corteza amarilla *(Tabebuia ochracea)* de la familia de las Bignonáceas, también denominado en otros lugares como árbol de Cortés o guayacán. Esta especie tiene una amplia área de distribución que se extiende desde El Salvador hasta Brasil. La característica más peculiar de este árbol de flores amarillas es que florece de una manera explosiva, todos los árboles a la vez. Esto ocurre en la estación seca (en Lomas de Barbudal generalmente durante el mes de marzo) cuando todavía no han nacido sus características hojas esteliformes, normalmente una semana después de que tenga lugar uno de los clásicos aguaceros de esta estación seca.

A veces, en una misma estación puede haber dos o tres de esas explosiones florísticas. Las flores duran únicamente cuatro días en el árbol. Es entonces cuando éstos son polinizados por una gran cantidad de abejas. Las semillas, que son transportadas por el viento, tienen unas alas membranosas que facilitan su dispersión.

La madera del corteza amarilla es muy dura y pesada, y se caracteriza por su excepcional duración. Su corazón es de un color pardo oscuro que contrasta notablemente con la madera exterior blanquecina. Es muy apreciada para la fabricación de muebles y utensilios caseros.

Alcaraván • Double-striped thick-knee

Sabana • Savannah

THE YELLOW CORTEZ

One of the most common trees in Lomas de Barbudal is the yellow cortez *(Tabebuia ochracea)* of the Bignoniaceae family, known elsewhere by the Spanish name *arbol de Cortés* or *guayacán*. This species has a broad distribution range extending from El Salvador to Brazil. The most peculiar feature of this yellow-flowered tree is that all the trees bloom in a simultaneous explosion of colour. They flower in the dry season (in Lomas de Barbudal generally during March), when their characteristic star-shaped leaves have still not come out, normally a week after one of the classic dry season downpours.

Sometimes in the same season there may be two or three of these outbursts of blossom. The flowers only last four days on the tree and it is then that they are pollinated by many bees. The wind-borne seeds have membranous wings that facilitate their dispersal.

The timber from the yellow bark is very hard and thick and typically long-lasting. The heart of the wood is dark brown, in notable contrast to the whitish outer wood. It is much appreciated for the manufacture of furniture and domestic utensils.

Corteza amarilla • Yellow cortez tree

rosewood *(Dalbergia retusa)*, which are threatened in the rest of the country.

The evergreen riverine forest forms strips along the rivers and creeks and is regarded as the richest and most diverse forest in the entire Tempisque Conservation Area. It is especially rich in solitary bees. Among the most representative trees are the espavel *(Anacardium excelsum)* and guapinol *(Hymenaea curbari)*. The savannah grassland is dotted with trees like the rough-leaf tree *(Curatella americana)* as well as the largest nances *(Byrsonima crassifolia)* in Costa Rica.

The other habitats are gallery forest, in which the water table is not very deep, made up of a mix of evergreen deciduous species; xerophytic or extremely dry

Bosque deciduo • Deciduous forest

Lomas de Barbudal es un área con una gran riqueza de insectos, destacando por su variedad y cantidad las abejas y avispas –tanto sociales como solitarias–, y las mariposas nocturnas y diurnas. Se estima que existen más de 230 especies de abejas y más de 60 especies de mariposas nocturnas, los vertebrados son también abundantes. En la reserva biológica. Se han censado 130 especies de aves, entre ellas la escasa chachalaca norteña *(Ortalis vetula)*, el guacamayo macao *(Ara macao)*, el zopilote rey *(Sarcoramphus papa)*, el pavón norteño *(Crax rubra)* y el alcaraván *(Burhinus bistriatus)*. Los mamíferos que el visitante puede observar más fácilmente son los pizotes *(Nasua narica)*, los monos congo *(Alouatta palliata)* y los carablanca *(Cebus capucinus)*, los mapachines comunes *(Procyon lotor)* y los coyotes *(Canis latrans)*.

INFORMACIONES PRÁCTICAS

- **Localización:** en la provincia de Guanacaste, en las bajuras del río Tempisque, cerca del Parque Nacional Palo Verde, a 18 km de la población de Bagaces.
- **Accesos:** la Administración se localiza a orillas del río Cabuyo, a 19 km de Bagaces, vía carretera Panamericana en dirección a Liberia, hasta el lugar conocido como Pijije. De allí, un camino lastrado que sale a la izquierda conduce a la Administración. Hay servicio de autobuses San José-Bagaces y Liberia-Bagaces que se detienen en Pijije.
- **Servicios:** existe un centro de visitantes situado entre el edificio de la Administración y el río. Junto a éste hay un área para almorzar con mesas, lavabos y agua potable.
- **Alojamiento:** no se encuentran facilidades de alojamiento en el interior de la reserva. En Bagaces hay hoteles, pensiones, restaurantes y mercados.
- **Direcciones de interés:** para cualquier tipo de información dirigirse a la Oficina Subregional de Bagaces, Telf.: (506) 671-1290, (506) 671-1455; fax: (506) 671-1062; e-mail: act@minae.go.cr

forest that is rich in cacti and bromeliads; oak forest *(Quercus oleoides)* and regenerating forest.

Lomas de Barbudal is very rich in insects, with an outstanding variety and number of bees and wasps – both social and solitary - as well as moths and butterflies. There are estimated to be over 230 species of bees and over 60 species of moths. There are also lots of vertebrates in the biological reserve. 130 species of birds have been identified, including the rare plain chachalaca *(Ortalis vetula)*, the spectacular scarlet macaw *(Ara macao)*, king vulture *(Sarcoramphus papa)*, great currasow *(Crax rubra)* and double-striped thick-knee *(Burhinus bistriatus)*.

The mammals that visitors can spot easily are white-nosed coati *(Nasua narica)*, mantled howler monkeys *(Alouatta palliata)* and white-faced capuchins *(Cebus capucinus)*, raccoons *(Procyon lotor)* and coyotes *(Canis latrans)*.

Pizote • White.nosed coati

Chachalaca norteña • Plain chachalaca

PRACTICAL INFORMATION

- **Location:** in Guanacaste province, in the coastal waters of the River Tempisque, near Palo Verde National Park, 18 km from the town of Bagaces.
- **Access:** the administration office is on the banks of the River Cabuyo, 19 km from Bagaces, via the Pan-American Highway in the direction of Liberia as far as Pijije. From there a paved road off to the left leads to the administration building. There are bus services San José-Bagaces and Liberia-Bagaces with a stop in Pijije.
- **Services:** there is a visitor center between the administration building and the river. Alongside the river there is a picnic area with tables, toilets and drinking water.
- **Accommodation:** there is no accommodation in the reserve. In Bagaces there are hotels, guest houses *(pensiones)*, restaurants and shops.
- **Useful addresses:** for all information, contact the Oficina Subregional de Bagaces on Tels.: (506) 671-1290, (506) 671-1455; fax: (506) 671-1062; e-mail: act@minae.go.cr

ZONA PROTECTORA ARENAL-MONTEVERDE

Bosque nuboso • Cloud forest

Esta zona protectora fue creada en el año 1991 con una extensión de 28.265 ha. Ocupa las vertientes caribeña y pacífica de la cordillera de Tilarán, al suroeste de la laguna de Arenal. La mayor parte de esta extensa área protegida está formada por dos reservas privadas, la Reserva Biológica Bosque Nuboso de Monteverde de 14.200 ha, administrada por el Centro Científico Tropical (CCT) y cuyo origen se debe a una comunidad cuáquera americana que se instaló en los años 1950 en esta región costarricense, y el Bosque Eterno de los Niños de 17.400 ha, administrado por la Liga Conservacionista de Monteverde (LCM) y que fue el primero, a nivel mundial, que se adquirió en su totalidad con las donaciones de niños de Suecia, Estados Unidos, Inglaterra, Canadá y Japón.

Hoja • Leaf

Vista general de la Zona Protectora • General view of the Protection Zone

ARENAL-MONTEVERDE PROTECTION ZONE

Atardecer en Monteverde • Late afternoon in Monteverde

This protection zone was created in 1991 over 28,265 ha of land on the Caribbean and Pacific slopes of the Cordillera de Tilarán to the south-west of the El Arenal Lagoon. Most of this extensive protection zone consists of two private reserves, Monteverde Cloud Forest Biological Reserve, which covers 14,200 ha administered by the Tropical Science Center whose origins lie in an American Quaker community that settled in this part of Costa Rica in the nineteen fifties, and the 17,.400-hectare Bosque Eterno de los Niños (Children's Everlasting Forest) administered by the Monteverde Conservation League, which was the first at international level to be wholly acquired through donations from children in Sweden, the

Mariposa • Butterfly

EL QUETZAL

El quetzal *(Pharomachrus mocinno)*, considerado como el ave más bella de América, pertenece a la familia de los Trogónidos. Esta familia distribuida en las áreas tropicales de América, África y Asia ocupa el estrato forestal, distinguiéndose por la belleza del plumaje de las especies que la componen, muy en particular el de los machos.

El quetzal es un ave de tamaño mediano (36-38 cm) con un claro dimorfismo sexual. El macho se viste con un espectacular plumaje en el que destaca el verde dorado resplandeciente de su cresta en forma de casco, el color escarlata de la parte inferior del pecho y del vientre, y su larguísima cola verde con plumas blancas en la parte inferior. El pico es amarillo y las patas de color gris oliva. La hembra, más pequeña, no posee ni la cresta ni las largas plumas caudales. Es de color mas apagado que el macho y la parte inferior de la cola está barreteada de negro. La parte superior del pico es negra.

Es una especie que vive solitaria o en parejas en los bosques montanos muy húmedos, por encima de 1.200 metros de altitud, en los que abundan las plantas epífitas. Se alimenta básicamente de frutas silvestres, invertebrados y pequeños anfibios y reptiles. Raramente abandona el bosque aunque se le puede ver más frecuentemente en su periferia. Descansa entre las ramas altas de los árboles con su larga cola dirigida hacía abajo, en posición vertical.

Elige para construir su nido una profunda cavidad en el interior de un árbol en descomposición a una altura que oscila entre los cuatro y los veinticinco metros. Accede a él por una única entrada lateral y allí la hembra deposita dos huevos azul claro sobre el fondo desnudo y tanto el macho como la hembra se turnan en la incubación que dura en torno a los 18 días. En Costa Rica la nidificación tiene lugar de marzo a junio, conociéndose casos en los que una pareja realiza dos puestas por año. Los pollos nidícolas permanecen en el nido alimentados por sus padres en torno a los 30 días.

El área de distribución del quetzal se extiende por todo el istmo centroamericano, desde el sur de México hasta las montañas occidentales de Panamá. En Costa Rica se localiza en la Cordillera Central, desde la Cordillera de Tilarán hasta el Parque Internacional La Amistad, en la frontera con Panamá.

El área protegida se extiende desde los 660 metros en la vertiente caribeña hasta los 1.859 m del cerro Sin Nombre, en la divisoria de aguas continentales. Un clima caracterizado por las elevadas precipitaciones (entre 3.000 y 5.000 mm) permite el establecimiento en las partes más altas de esta zona protectora de un denso bosque nuboso en el que, envuelto por las nubes la mayor parte del año, se desarrolla un estrato forestal donde crecen con una gran profusión musgos, hepáticas, líquenes, bromelias y epífitas. Los árboles más representativos de este bosque nuboso son el guarumo *(Cecropia obtusifolia)*, el roble *(Quercus* spp.), el zapote *(Pouteria viridis)* y el matapalo *(Ficus tuerckheimii)*. Se han censado más de 2.500 especies de plantas, entre ellas 200 helechos y 350 orquídeas.

La riqueza de vertebrados es también notoria. Entre los anfibios destaca la abundancia de ranas traslúcidas del género

Búho corniblanco • Crested owl

Cascada • Waterfall

THE RESPLENDENT QUETZAL

The quetzal *(Pharomachrus mocinno),* regarded as the loveliest bird in America, belongs to the Trogonidae family. This family, distributed in tropical areas of America, Africa and Asia, lives in the forest stratum and can be distinguished by the beautiful plumage of the species comprising it, particularly that of the males.

The quetzal is medium-sized (36-38 cm), with clear sexual dimorphism. The male boasts spectacular plumage with striking resplendent golden green on its helmet-shaped crest, scarlet on its lower breast and belly and an extremely long green tail with white feathers. It has a yellow beak and olive gray feet. The female is smaller and does not have a crest or long caudal feathers. She is a duller color than the male and has black bars on the underside of the tail, while the upper part of her beak is black.

This species lives a solitary life or in pairs in very moist montane forests above 1,200 meters in which epiphytes abound. It feeds mainly on wild fruits, invertebrates and small amphibians and reptiles. It rarely leaves the forest although it can often be spotted on the periphery. It perches on the high branches with its long tail hanging dow vertically.

It builds its nest in deep cavities inside decomposing trees at a height ranging from four to twenty five meters. It accesses the nest through a single hole in the side and the female lays two pale blue eggs on the bare floor and both the male and the female take turns to incubate for around 18 days. In Costa Rica nesting take place from March to June and there are known to have been cases of pairs laying two clutches in one year. The nest-bound chicks remain in the nest and are fed by the parents for around 30 days.

The quetzal's distribution range covers the whole of the Isthmus of Central America from southern Mexico to the western mountains of Panama. In Costa Rica, it occurs in the Cordillera Central from the Cordillera de Tilarán to La Amistad International Park on the border with Panama.

United States, Britain, Canada and Japan.

The protection zone stretches from 660 meters on the Caribbean slope to the 1,859-meter of Cerro Sin Nombre on the continental watershed. A climate characterized by the high precipitation (between 3,000 and 5,000 mm) enables thick cloud forest to grow in the highest parts of the protection zone. Shrouded in cloud most of the year, the forest stratum abounds in mosses, liverworts, lichens, bromeliads and epiphytes. The most representative trees in the cloud forest are the guarumo *(Cecropia obtusifolia)*, oak *(Quercus* spp.), zapote *(Pouteria viridis)* and wild fig *(Ficus tuerckheimii)*. Over 2,500 species of plants, including 200 ferns and 350 orchids have been identified.

Bosque nuboso • Cloud forest

It is also famous for its wealth of vertebrates. Among the amphibians there are numerous glass frogs of the genus *Centrolenella*. The endemic golden toad *(Bufo periglenes)* appears to have died out a few years ago. The many snakes living in the protection zone include the boa constrictor *(Boa constrictor),* Central American coral snake *(Micrurus nigrocinctus)* and the poisonous fer-de-lance *(Bothrops asper)*. A total of 153 species of amphibians and reptiles have been identified.

Over 400 species of birds, almost half those living in Costa Rica, have been recorded in the Monteverde

Centrolenella. El endémico sapo dorado *(Bufo periglenes)* parece haberse extinguido desde hace algunos años. Numerosas serpientes viven en el área protegida, desde la boa constrictora *(Boa constrictor)* a la coral centroamericana *(Micrurus nigrocinctus)*, pasando por la venenosa serpiente terciopelo *(Bothrops asper)*. En total se han identificado 153 especies de anfibios y reptiles.

Más de 400 especies de aves, casi la mitad de las que viven en Costa Rica, se han censado en la región de Monteverde. Por su belleza destaca la presencia del quetzal *(Pharomachrus mocinno)*, al que acompañan, entre otras, 30 especies de espectaculares colibríes, el martín pescador verde *(Chloroceryle americana)*, el búho corniblanco *(Lophostrix cristata)*, el águila solitaria *(Harpyhaliaetus solitarius)* y el guacamayo ambiguo *(Ara ambigua)*.

Colibrí • Hummingbird

Cabezón cabecirrojo • Red-headed barbet

Aquí viven más de cien especies de mamíferos, de las que 40 son murciélagos, destacando por su abundancia el murciélago frutero Tolteco *(Artibeus toltecus)*. Otros mamíferos terrestres que se pueden observar con relativa facilidad son el mono congo *(Alouatta palliata)*, el cusuco o armadillo de nueve bandas *(Dasypus novemcinctus)*, la ardilla negra o chiza *(Sciurus deppei)* y el ratón mexicano *(Peromyscus nudipes)*.

INFORMACIONES PRÁCTICAS

- **Localización:** en la cordillera de Tilarán, al suroeste de la laguna de Arenal, en las provincias de Alajuela y Guanacaste, 172 km al noroeste de San José.
- **Accesos:** por la carretera Panamericana desde San José hasta el puente del río Lagartos (133 km). Se toma el camino lastrado hacía la derecha en la ruta Pita-Altos Fernández-Guacimal-Cedros-Santa Elena-Cerro Plano-Monteverde-Administración (39 km). Existen servicios de autobuses San José-Monteverde y Puntarenas-Santa Elena. También se puede incursionar por el poblado de Sardinal de Puntarenas-Guacimal-Santa Elena.
- **Servicios:** en ambas reservas privadas existen diversos senderos, algunos de ellos con interpretación, como el sendero Nuboso, que conduce a través de este bosque hasta el lugar conocido como La Ventana, sobre la divisoria de aguas continental. La Reserva del Bosque Nuboso de Monteverde cuenta con una estación biológica con laboratorios, biblioteca, cafetería, tienda de recuerdos y dormitorios.
- **Alojamiento:** en Santa Elena y Monteverde existe una amplia gama de hoteles, pensiones, supermercados y restaurantes.
- **Direcciones de interés:** para cualquier información dirigirse al Centro Científico Tropical (CCT), Telf.: (506) 645-5122; fax: (506) 645-5034; e-mail: motever@cct.or.cr; o a la Liga de Conservación de Monteverde (LCM), Telf.: (506) 645-5003; fax: (506) 645-5104; e-mail: acmcr@acmcr.org

PRACTICAL INFORMATION

- **Location:** in the Cordillera de Tilarán, south-west of Arenal lagoon, in the provinces of Alajuela and Guanacaste, 172 km north-west of San José.
- **Access:** along the Pan-American Highway from San José to the bridge over the River Lagartos (133 km). Take the road to the right on the route Pita-Altos Fernández-Guacimal-Cedros-Santa Elena-Cerro Plano-Monteverde-Administration (39 km). There are bus services San José-Monteverde and Puntarenas-Santa Elena. It is also possible to approach via the villages of Sardinal de Puntarenas-Guacimal-Santa Elena.
- **Services:** in both private reserves there are several paths, some of them with interpretation, such as the Nuboso Trail, which leads across the forest to the place known as La Ventana on the continental watershed. The Monteverde Cloud Forest Reserve has a biological station with laboratories, a library, cafeteria, souvenir shop and sleeping quarters.
- **Accommodation:** in Santa Elena and Monteverde there is a wide range of hotels, guest houses, supermarkets and restaurants.
- **Useful addresses:** for all information, contact the Tropical Science Center (Centro Científico Tropical or CCT), Tel.: (506) 645-5122; fax: (506) 645-5034; e-mail: motever@cct; or the Liga de Conservación de Monteverde (LCM), Tel.: (506) 645-5003; fax: (506) 645-5104; e-mail: acmcr@acmcr.org

region. The lovely resplendent quetzal *(Pharomachrus mocinno)* is worthy of special note, along with 30 species of spectacular hummingbirds, the green kingfisher *(Chloroceryle americana)*, crested owl *(Lophostrix cristata)*, solitary eagle *(Harpyhaliaetus solitarius)* and great green macaw *(Ara ambigua)*.

Here forty of the more than one hundred species of mammals are bats, the most numerous being the fruit-eating bat *(Artibeus toltecus)*. Other land mammals that can be seen relatively easily are the mantled howler monkey *(Alouatta palliata)*, nine-banded armadillo *(Dasypus novemcinctus)*, black squirrel *(Sciurus deppei)* and Mexican mouse *(Peromyscus nudipes)*.

Orquídea • Orchid

Mosquero cabecigrís • Gray-capped flycatcher

Colibrí picolanza mayor • Green-fronted lancevill

PARQUE NACIONAL JUAN CASTRO BLANCO

Bosque premontano pluvial • Premontane rainforest

El Parque Nacional Juan Castro Blanco, situado en el Área de Conservación Arenal Huétar-Norte, fue creado en el año 1992 con una extensión de 14.453 ha para preservar una serie de bosques primarios y secundarios que protegen importantes nacientes de agua.

Asentado sobre suelos volcánicos, sus rasgos geomorfológicos más representativos son el volcán Platanar, de 2.183 m sobre el nivel del mar, que aún permanece activo, el volcán inactivo Cerro Viejo, de 2.122 metros de altitud, y la caldera de erosión de Río Segundo. En su accidentada geografía se localizan los nacientes de los ríos Toro, Aguas Zarcas, Guayabo y Platanar que desembocan en el río San Juan.

Con una altitud que oscila entre los 700 y los 2.267 metros, sobre su suelo se desarrollan el bosque premontano pluvial, el bosque premontano muy húmedo y el bosque pluvial montano bajo. En ellos crecen especies forestales como los robles *(Quercus* spp.), el candelillo o magnolia *(Magnolia poasana)*, especie endémica de Costa Rica, los quizarrás o aguacatillos, (*Nectandra* spp. y *Ocotea* spp.), el duraznillo *(Rhammus pubescens)*, el yos *(Sapium laurifolium)*, el cedro dulce *(Cedrela tonduzii)*, el cedrillo *(Brunellia costa-*

Vista general del parque • General view of the park

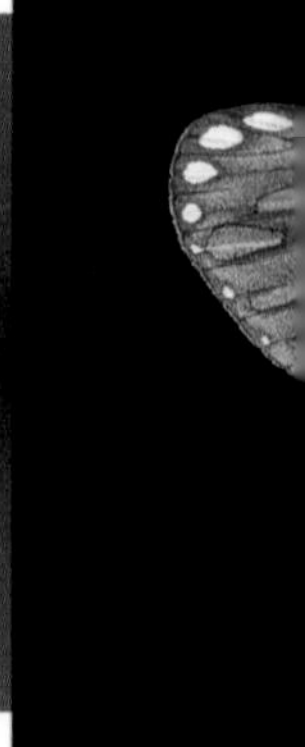

JUAN CASTRO BLANCO NATIONAL PARK

Sotobosque • Forest undergrowth

Created in 1992, Juan Castro Blanco National Park forms part of the Arenal Conservation Area. Covering 14,453 hectares, it was set up in order to conserve a tract of primary and secondary forest that protects a series of important water sources.

Situated on volcanic terrain, its most outstanding geomorphologic features are the still active Platanar volcano, which rises 2,183 m above sea level, the now inactive 2,122 meter-high Cerro Viejo volcano, and the Segundo River erosion basin. Its rugged terrain contains the sources of the Toro, Aguas Zarcas, Guayabo and Platanar rivers, all of which flow into the San Juan River.

Lying at an altitude of between 700 and 2,267 meters, the territory covered by the park contains premontane rain forest, very moist premontane forest and low

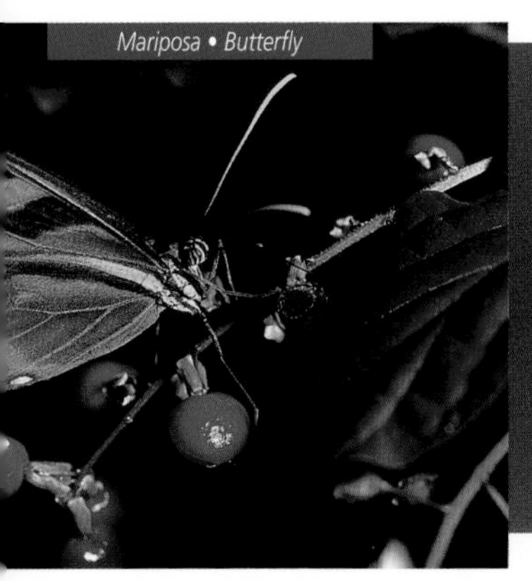
Mariposa • Butterfly

Cotinga nívea • Snowy cotinga

de 44 especies de anfibios (27% de las especies del país), 32 especies de reptiles (15% del total), 107 especies de aves (13% del total) y 30 especies de mamíferos (45% del total). Entre los anfibios se encuentran el sapo arlequín *(Atelopus varius)* y la ranita de vidrio *(Centrolenella euknemos)*, y entre los reptiles las lagartijas *Anolis insignis* y *Norops altae*, el garrobo *(Basiliscus plumifrons)*, la boa constrictora *(Boa constrictor)* y la serpiente

ricensis), el cipresillo *(Podocarpus guatemaltensis)*...

Los estudios zoológicos han determinado la presencia en estas hectáreas protegidas

Cacique piquiamarillo • Yellow-billed cacique

EL BUSARDO BLANCO

El busardo blanco *(Leucopternis albicollis)* pertenece a la familia de los Accipitriformes, un grupo que se encuentra en los cinco continentes y que engloba a las genéricamente denominadas rapaces diurnas: las águilas, los elanios o milanos y los gavilanes. Una característica común de la familia son sus poderosas patas terminadas en unas fuertes garras curvas y sus ganchudos picos.

El busardo blanco (56 a 60 cm) se caracteriza por sus alas anchas y redondeadas y su amplia y corta cola. Su plumaje es totalmente blanco, si se exceptúan las marcas negras en las primarias y secundarias y una ancha banda subterminal negra en la cola. Sus patas son amarillentas.

Vive en las áreas boscosas, cazando bajo el dosel arbóreo, y es fácil verle en los claros y en los bordes de las selvas. Para cazar sus presas se sitúa inmóvil en una rama baja de un árbol donde realiza el aguardo esperando a que su víctima aparezca, atrapándola con un espectacular picado. Su alimentación se compone básicamente de pequeños vertebrados: culebras, lagartijas, ranas, micromamíferos, pequeñas aves..., y también insectos grandes. Su vuelo entre los árboles es muy tranquilo, con pocos aletazos y con largos planeos. Al volar emite un grito semejante a un silbido, aunque más ronco.

En Costa Rica nidifica de febrero a mayo. Construye un nido relativamente sencillo formado por ramas entrelazadas en las partes más altas de los árboles. Allí, la hembra deposita un huevo de color blanco azulado salpicado de manchas de café. Los pollos son nidícolas, encargándose ambos progenitores de alimentarles hasta que se hacen volanderos.

Esta especie, distribuida desde el sur de México hasta el este del Perú y Brasil y norte de Bolivia es relativamente común en Costa Rica, ocupando las áreas boscosas desde el nivel del mar hasta los 1.400 metros de altitud. No se ha citado la especie en el Pacífico seco del noroeste del país.

Arroyo • Stream

montane rain forest. They contain forest species such as oaks *(Quercus* spp.), magnolia *(Magnolia poasana)*, a species endemic to Costa Rica, quizarras *(Nectandra* spp. and *Ocotea* spp.), persicaria lady's thumb *(Rhammus pubescens)*, the yos *(Sapium laurifolium)*, the sweet cedar *(Cedrela tonduzii)*, the small cedar *(Brunellia costaricensis)*, the white cypress *(Podocarpus guatemaltensis)*, etc.

Zoological studies in the protected area indicate there are 44 species of amphibians (27% of the country's species), 32 species of reptiles (15% of the total), 107 species of birds (13% of the total) and 30 mammal species (45% of the total). The amphibians include the harlequin toad *(Atelopus varius)* and the glass frog *(Centrolenella euknemos)*, whilst amongst the reptiles there are *Anolis insignis* and *Norops altae* lizards, double-crested basilisk *(Basiliscus plumifrons)*, boa constrictor *(Boa constrictor)* and the fer-de-lance *(Bothrops asper)*. One of the highlights of the park's birdlife is the resplendent quetzal *(Pharomachrus mocinno)*, which shares its habitat within these forested areas with the great tinamou *(Tinamus major)*, spotted sandpiper *(Actitis macularia)*, crested guan *(Penelope purpurascens)*, white hawk *(Leucopternis albicollis)* and yellow-billed cacique *(Amblycercus holosericeus)*.

Among the park's mammals are Baird's tapir *(Tapirus bairdii)*, the tayra *(Eira barbara)*, tamandua *(Tamandua mexicana)*, coyote *(Canis*

Busardo blanco • White hawk

THE WHITE HAWK

The white hawk *(Leucopternis albicollis)* belongs to the family Accipitridae, a group found on all five continents and which includes what are generically known as diurnal birds of prey i.e. eagles, kites and hawks. Two characteristics common to this family of birds are their powerful feet, equipped with strong curved talons, and their hooked beaks.

The white hawk (56 to 60 cm) can be distinguished by its broad, rounded wings and wide, short tail. Its plumage is completely white, except for black markings on its primary and secondary feathers and a broad black subterminal band on the tail. Its feet are yellowish. It inhabits forested areas, hunting beneath the forest canopy, and is easy to spot in clearings and along the fringes of the jungle. When hunting prey, it stays still perched on the lower branch of a tree, where it waits for a victim to appear, trapping it with a spectacular swoop. It mainly feeds on small vertebrates, such as snakes, lizards, frogs, small birds and mammals, and is also known to take large insects. It flies very smoothly between the trees with few wing beats and long glides. In flight it emits a cry similar to a whistle, but harsher.

In Costa Rica it nests from February to May, constructing a relatively simple nest of intertwined twigs in the upper reaches of the tree canopy. There, the female lays one egg, which is bluish-white with coffee-colored speckles. Both parents feed the nest-bound chicks until they are fully fledged.

This species inhabits an area stretching from southern Mexico to the east of Peru and Brazil and northern Bolivia. It is relatively common in Costa Rica, living in forested areas from sea level to an altitude of 1,400 meters. The species has not been recorded in the dry north-western Pacific region of the country.

INFORMACIONES PRÁCTICAS

- **Localización:** en la fila La Chocosuela, en el extremo oeste de la Cordillera Volcánica Central, en el extremo noroeste del Valle Central, en la provincia de Alajuela.
- **Accesos:** por la carretera San José-Ciudad Quesada (95 km). Las carreteras Ciudad Quesada-Naranjo y Ciudad Quesada-Venecia rodean el parque por sus límites oeste y norte, respectivamente. Un camino lastrado conduce al proyecto hidrológico Toro II atravesando el bosque típico de la región.
- **Servicios:** no existe ningún servicio para el visitante.
- **Alojamiento:** en Naranjo y Ciudad Quesada se localizan hoteles y restaurantes.
- **Direcciones de interés:** para cualquier tipo de información dirigirse al Telf.: (506) 460-7600; o comunicarse a la Oficina Regional Ciudad Quesada, Telf.: (506) 460-0055, (506) 460-0156; fax: (506) 460-0644; e-mail: achn@minae.go.cr

Arroyo • Stream

terciopelo *(Bothrops asper)*. Entre la avifauna del parque destaca la presencia del quetzal *(Pharomachrus mocinno)*, que comparte su hábitat en estas masas forestales con el tinamú oliváceo *(Tinamus major)*, el andarríos maculado *(Actitis macularia)*, la pava cojolita *(Penelope purpurascens)*, el busardo blanco *(Leucopternis albicollis)* y el cacique piquiamarillo *(Amblycercus holosericeus)*.

Entre los mamíferos están presentes la danta o tapir *(Tapirus bairdii)*, el tolomuco *(Eira barbara)*, el oso colmenero *(Tamandua mexicana)*, el coyote *(Canis latrans)* y cinco especies de felinos: el puma *(Felis concolor)*, el jaguar *(Panthera onca)*, el manigordo *(Felis pardalis)*, el león breñero *(Felis yaguaroundi)* y el caucel *(Felis wiedii)*.

En la zona se han encontrado importantes restos arqueológicos que testifican la presencia de uno de los cacicazgos más importantes antes de la llegada de los españoles, el de los indios Botos, que se extendía hasta el Valle Central atravesando los actuales parques nacionales del Volcán Poás y de Juan Castro Blanco.

Cascada • Waterfall

PRACTICAL INFORMATION

- **LOCATION:** on the Chocosuela Ridge at the western edge of the Cordillera Volcánica Central at the northwestern end of the Valle Central in Alajuela province.
- **ACCESS:** via the San José-Ciudad Quesada Highway (95 km). The Ciudad Quesada-Naranjo and Ciudad Quesada-Venecia roads run around the park's western and northern boundaries, respectively. A paved track leading to the Toro II Hydrological Project crosses forest that is typical of the region.
- **SERVICES:** no visitor services are available.
- **ACCOMMODATION:** there are hotels and restaurants in Naranjo and Ciudad Quesada.
- **USEFUL ADDRESSES:** for all information, please contact Tel.: (506) 460-7600; or call the Ciudad Quesada Regional Office (Oficina Regional) on Tel.: (506) 460-0055, (506) 460-0156; fax: (506) 460-0644; e-mail: achn@minae.go.cr

Vista general del parque • *General view of the park*

latrans) and five species of big cats: puma *(Felis concolor)*, jaguar *(Panthera onca)*, ocelot *(Felis pardalis)*, jaguarundi *(Felis yaguaroundi)* and margay *(Felis wiedii)*.

Extensive archaeological remains have been discovered in the area, testifying to the presence of a most important indigenous settlement, that of

Bosque primario • *Primary forest*

the Botos Indians, established before the arrival of the Spanish. It covered a territory that stretched as far as the Valle Central and included today's Poás Volcano and Juan Castro Blanco national parks.

PARQUES NACIONALES VOLCANES ARENAL Y TENORIO

Bosque muy húmedo premontano • Moist premontane forest

El Parque Nacional Volcán Arenal fue creado en el año 1994 con una extensión de 12.124 hectáreas, y el Parque Nacional Volcán Tenorio en el año 1995 con una extensión de 12.871 hectáreas. Ambos parques, relativamente vecinos, pertenecen al Área de Conservación Arenal-Tilarán y en ellos destacan las manifestaciones de un vulcanismo activo.

Los tres elementos vulcanológicos más representativos de estos dos parques nacionales son: el volcán Arenal, un cono activo, casi perfecto, de 1.633 metros de altitud cuyas erupciones explosivas y emisiones de lava muy viscosa ofrecen, principalmente durante las noches, un espectáculo extraordinario; el volcán Chato, al sureste del volcán Arenal, un cono truncado que posee en su parte superior un cráter de explosión ocupado por una laguna de aguas de color verde azulado, y el volcán Tenorio, de 1.916 m de altura que presenta una gran actividad geotérmica y solfatárica.

El Arenal es un estratovolcán de forma cónica y de origen muy reciente que en 1968 reinició su actividad eruptiva con una fuerte explosión de tipo peleano que formó un cráter a mitad del cono. El Tenorio está constituido por cuatro conos volcánicos, por otros domos y conos piroclásticos y por dos

Vegetación acuática • Aquatic vegetation

cráteres gemelos identificados como el volcán Montezuma. En la actualidad presenta una actividad fumarólica en el flanco noreste, a 965 metros de altitud, en el lugar conocido como Las Quemadas. Existen también focos termales en el lugar denominado La Casa y en las márgenes del río Roble.

Laguna de Arenal • Arenal Lagoon

ARENAL VOLCANO AND TENORIO VOLCANO NATIONAL PARKS

Laguna y volcán Arenal • Arenal lagoon and volcano

Arenal Volcano National Park was set up in 1994 over 12,124 hectares of land and Tenorio Volcano National Park in 1995 on 12,871 hectares. Both of these more or less adjoining parks are part of the Arenal-Tilarán Conservation Area, and both have obvious examples of volcanic activity.

The three most representative volcanic features of these two national parks are Arenal Volcano, an almost perfect 1,633-meter-high active cone, whose explosive eruptions and emissions of very viscous lava, mainly at night time, provide an extraordinary spectacle; Chato Volcano, south-east of Arenal Volcano, a truncated cone with an explosion crater in its upper part occupied by a lagoon with bluey green water, and Tenorio Volcano, at 1,916 m which exhibits a lot of geothermal and solfataric activity.

Arenal is a very recently formed conical stratovolcano, which in 1968 started erupting again with a loud Plinian-type explosion that formed a crater in half of the cone. Tenorio consists of four volcanic cones, other domes and pyroclastic cones and two twin craters identified as Montezuma Volcano. It now has fumaroles on the north-east flank, 965 meters high in the place known as Las Quemadas. There are also thermal sites in

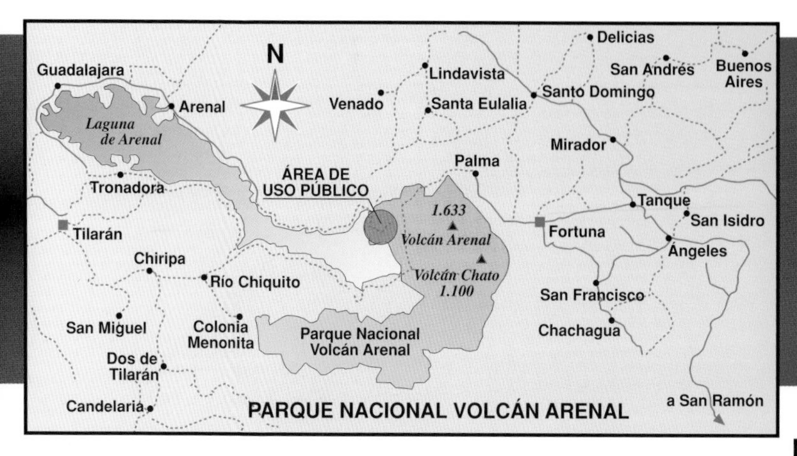

Laguna de Arenal
• Arenal Lagoon

A los pies de estos dos parques que protegen numerosas cuencas hidrográficas se encuentra la extensa laguna de Arenal en la que se genera más del 40% de toda la electricidad que se consume en Costa Rica.

Los dos parques están cubiertos por bosques muy húmedos premontanos que se encuentran muy alterados en las laderas del Arenal debido a la actividad volcánica. La cima del Chato y la cima y vertientes este y oeste del Tenorio conservan extensos bosques primarios. Algunas de las especies más representativas de estos bosques son el leche amarilla *(Pouteria congestifolia)*, el terciopelo *(Sloanea faginea)*, el laurel *(Cordia alliodora)*, que es muy abundante, y el piedra *(Coccoloba tuerckheimii)*. Una curiosidad botánica presente en el volcán Tenorio es el árbol cacho o costilla de danta *(Parmenteria valerii)*, cuyos frutos, semejantes a pepinos de gran tamaño, crecen directamente del tronco. En el volcán Chato son muy abundantes las orquídeas. Sobre la superficie de ambos parques se han identificado más de 3.450 especies de plantas.

Se han censado 35

Volcán Arenal • Arenal Volcano

ERUPCIONES DEL VOLCÁN ARENAL

El volcán Arenal, conocido popularmente como cerro Arenal, era un volcán al que se consideraba apagado, ya que según los vulcanólogos su último período de actividad histórica databa de los siglos XIII y XIV. Pero el 29 de julio de 1968, a las siete y media de la mañana, el volcán se despertó con una poderosa explosión que lanzó al aire una enorme cantidad de materiales volcánicos y cenizas que el viento transportó hasta Liberia y Santa Cruz, en la provincia de Guanacaste. Se formaron entonces tres cráteres, el A, el B y el C en el flanco oeste. Posteriormente, debido a la acumulación de productos volcánicos en los bordes del cráter, la altura del volcán aumentó, distinguiéndose en la cima un cráter viejo, el D, hacia el este, y otro más moderno, el E, hacia el oeste. Los poblados Tabacón y Pueblo Nuevo quedaron prácticamente destruidos y allí murieron 87 personas.

Tras la primera erupción fue el cráter A (1.000 m de altitud) el que emitió lava hasta el año 1973, fecha en la que la actividad volcánica se centró en el cráter C (1.450 m de altitud), destacando los ríos de lava que se formaron el 17 y el 21 de junio de 1975. La actividad del cráter C con la emisión de lava duró hasta 1984. A partir de entonces las erupciones estrombolianas caracterizan el volcán Arenal. Fechas más recientes de erupciones del Arenal son el 28 de agosto de 1993, cuando la pared noroeste del cráter se derrumbó y se produjeron cuatro avalanchas incandescentes, y el 5 de mayo de 1998 con 23 flujos procedentes del cráter C.

Hasta el día de hoy el volcán Arenal ha registrado una gran actividad de erupciones, la última en agosto de 2000, lo que le convierte en un excepcional laboratorio natural para los vulcanólogos y en un singular atractivo para los turistas.

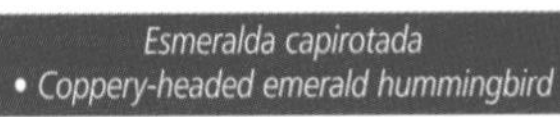

Esmeralda capirotada
• Coppery-headed emerald hummingbird

ARENAL VOLCANO'S ERUPTIONS

Arenal Volcano, popularly known as Cerro Arenal, was considered to be extinct as according to vulcanologists its last historical period of activity was in the thirteenth and fourteenth centuries. On 29 July 1968, however, at half past seven in the morning, the volcano awoke with a powerful explosion that spewed a huge amount of volcanic material and ash into the air, which the wind transported as far as Liberia and Santa Cruz in Guanacaste province. Three craters – A, B and C – formed at that time on the western flank. Due to the accumulation of volcanic products on the edges of the crater, the height of the volcano subsequently increased, and on the top an old crater, crater D, was visible to the east and another more recent one, E, to the west. The towns of Tabacón and Pueblo Nuevo were practically destroyed and 87 people died there.

Following the first eruption Crater A (1,000 m high) gave off lava until 1973, when activity became centered on Crater C (1,450 m high), with impressive lava flows forming from 17 and 21 June 1975. Crater C's activity, with lava emissions, lasted until 1984. Since then Strombolian eruptions have been a feature of Arenal Volcano. Its more recent eruptions occurred on 28 August 1993, when the north-western wall of the crater collapsed, causing four incandescent avalanches, and on 5 May 1998, when there were 23 flows from Crater C.

Arenal Volcano has erupted many times, the last being in August 2000. This makes it an exceptional natural laboratory for vulcanologists as well as an extraordinary tourist attraction.

Erupción del volcán • Volcanic eruption

the place known as La Casa and on the banks of the River Roble. At the foot of these parks that protect many drainage basins there is the large Arenal Lagoon where over 40% of all the electricity consumed in Costa Rica is generated.

The two parks are covered in very moist premontane forest, which in the case of the slopes of Arenal have been much altered due to the volcanic activity. The top of Chato and the top and eastern and western sides of Tenorio still have extensive primary forests. Some of the most representative species in these forests are the yellow milk *(Pouteria congestifolia)*, wild atta *(Sloanea faginea)*, freijo *(Cordia alliodora)*, which is very numerous and the stone *(Coccoloba tuerckheimii)*. One botanical curiosity on Tenorio Volcano is the jicaro danto *(Parmenteria valerii)* whose fruits resemble large cucumbers and grow directly out of the trunk. On Chato Volcano there are lots of orchids. Over 3,450 plant species have been identified in both parks.

Thirty five species of freshwater fish have been recorded, one, the olomina *(Priapichtys annectens)*, being endemic. Among the 78 amphibian species the endemic and extinct golden toad of Monteverde *(Bufo periglenes)* is worth a special mention. There are 135 known species of reptiles, including the oropel snake *(Bothrops schlegelii)*. The 453 bird species that have been recorded represent over 50% of the total birdlife in the country. They include the resplendent quetzal *(Pharomachrus mocinno)*, three-wattled bellbird *(Procnias tricarunculata)*, sunbittern

Zopilote negro • Black vulture

especies de peces de agua dulce, una de ellas endémica, la olomina *(Priapichtys annectens)*. Entre las 78 especies de anfibios cabe mencionar al endémico y extinto sapo dorado de Monteverde *(Bufo periglenes)*. Se conocen 135 especies de reptiles, entre ellas la serpiente oropel *(Bothrops schlegelii)*. Las 453 especies de aves censadas representan más del 50% de la avifauna total del país. Aquí se encuentran, entre otras, el quetzal *(Pharomachrus mocinno)*, el campanero tricarunculado *(Procnias tricarunculata)*, la tigana *(Europyga helias)*, el guacamayo ambiguo *(Ara ambigua)*, el pájaro sombrilla cuellicalvo *(Cephalopterus glabricollis)* y el colibrí esmeralda capirotada *(Elvira cupreiceps)*.

En ambas áreas protegidas se han censado 131 especies de mamíferos, entre ellas tres de las especies más amenazadas de Costa Rica, la danta *(Tapirus bairdii)*, el oso hormiguero gigante *(Myrmecophaga tridactyla)* y el jaguar *(Panthera onca)*. También están presentes el puma *(Felis concolor)*, el venado colablanca *(Odocoileus virginianus)* y tres especies de monos: el congo *(Alouatta palliata)*, el cara blanca *(Cebus capucinus)* y el colorado *(Ateles geoffroyi)*.

Bosque muy húmedo premontano • Moist premontane forest

Laguna de Arenal • Arenal Lagoon

INFORMACIONES PRÁCTICAS

- **Localización:** ambos volcanes, que forman parte de la cordillera de Guanacaste, están situados en las provincias de Guanacaste y Alajuela. El volcán Arenal se localiza en el límite este de la laguna Arenal y el volcán Tenorio al noroeste de dicha laguna.
- **Accesos:** al Parque Nacional Volcán Arenal se accede vía San José-Ciudad Quesada-Fortuna-Administración (128 km) por carretera pavimentada. Al Parque Nacional Volcán Tenorio se llega a través de la Panamericana de San José a Cañas. De ahí se toma la carretera en dirección norte hasta Upala. Existen servicios de autobuses y taxis San José-La Fortuna y Ciudad Quesada-La Fortuna.
- **Servicios:** la Administración del parque Volcán Arenal posee aparcamiento, servicios y un centro de visitantes con auditorio. De él salen los senderos El Principal, Las Heliconias, Las Coladas, Los Tucanes, La Catarata de la Fortuna y Los Miradores. La Administración del parque Volcán Tenorio se localiza en el Pilón de Bijagua. Para más información comunicarse al Telf/fax: (506) 466-8610.
- **Alojamiento:** en La Fortuna hay hoteles, restaurantes y supermercados. En las proximidades del volcán existe una variada oferta hotelera. También existe alojamiento en Cañas y en Upala.
- **Direcciones de interés:** para cualquier información dirigirse a los Telfs.: (506) 695-5180, (506) 695-5908; fax: (506) 695-5982; e-mail: acati@minae.go.cr

PRACTICAL INFORMATION

- **Location:** both volcanoes are part of the Cordillera de Guanacaste and are located in the provinces of Guanacaste and Alajuela. Arenal Volcano is on the eastern edge of Arenal Lagoon and Tenorio Volcano to the north-west of that lagoon.
- **Access:** access to Arenal Volcano National Park is via San José-Ciudad Quesada-Fortuna-administration office (128 km) via an asphalted road. Access to Tenorio Volcano National Park is via the Pan-American Highway from San José to Cañas. From there, take the road north to Upala. There are bus services and taxis San José-La Fortuna and Ciudad Quesada-La Fortuna.
- **Service:** the administration offices of Arenal Volcano park have a car park, toilets and a visitor center with an auditorium. The El Principal, Las Heliconias, Las Coladas, Los Tucanes, La Catarata de la Fortuna and Los Miradores trails start from there. The Tenorio Volcano National Park offices are in Pilón de Bijagua. For further information, contact Tel./fax: (506) 466-8610.
- **Accommodation:** in La Fortuna there are hotels, restaurants and supermarkets. In the environs of the volcano there is a variety of hotels. Accommodation is also available in Cañas and Upala.
- **Useful addresses:** for all information, contact Tels.: (506) 695-5180, (506) 695-5908; fax: (506) 695-5982; e-mail: acati@minae.go.cr

(Europygas helias), great green macaw *(Ara ambigua)*, bare-necked umbrellabird *(Cephalopterus glabricollis)* and coppery-headed emerald hummingbird *(Elvira cupreiceps)*.

One hundred and thirty one mammal species have been identified in both protected areas,

Vegetación volcánica • Volcanic vegetation

including three of the most threatened species in Costa Rica: Baird's tapir *(Tapirus bairdii)*, the giant anteater *(Myrmecophaga tridactyla)* and jaguar *(Panthera onca)*. There are also pumas *(Felis concolor)*, white-tail deer *(Odocoileus virginianus)* and three species of monkey: namely the mantled howler monkey *(Alouatta palliata)*, white-faced capuchin monkey *(Cebus capucinus)* and Central American spider monkey *(Ateles geoffroyi)*.

Campanero tricarunculado • Three-wattled bellbird

Volcán Arenal • Arenal Volcano

REFUGIO NACIONAL DE VIDA SILVESTRE CAÑO NEGRO

Caños • Channels

El refugio, enclavado al norte de la provincia de Alajuela, fue creado en el año 1984 con una extensión de 10.171 hectáreas. Está formado por un lago estacional y terrenos pantanosos a su alrededor. El lago Caño Negro, de unas 800 ha de superficie y unos tres metros de profundidad, es en realidad un área de rebalse del río Frío que desemboca en la laguna de Arenal. Durante la estación seca, entre febrero y mayo, el lago llega a desaparecer casi por completo, quedando reducido a pequeñas lagunetas, caños y el brazo del propio río. El área esta incluida en la Lista de Humedales de Importancia Internacional de la Convención de Ramsar.

Se diferencian cinco hábitats principales. La vegetación que crece en los bordes de la laguna y a lo largo de los caños es principalmente herbácea, como el pasto gamalote *(Paspalum fasciculatum)* y la dormilona *(Mimosa pigra)*, salpicada con árboles pequeños como la abundante guaba *(Inga edulis)*, el jelinjoche *(Pachira aquatica)* y el poró *(Erythrina fusca)*. En los bordes de la laguna es muy abundante la vegetación palustre con una importante presencia de juncos *(Juncus* spp*)*.

En los lugares que permanecen anegados de forma permanente o semipermanente se desarrolla el bosque primario inundado caracterizado por su gran variedad de especies arbóreas como el mayo *(Vochysia guatemalensis)*, el guácimo *(Luehea seemannii)* y el tamarindo *(Dialium guianense)*. Los bosques de camíbar se localizan también en áreas inundadas, aunque su riqueza en

Lago Caño Negro • Caño Negro Lake

CAÑO NEGRO NATIONAL WILDLIFE REFUGE

Lago Caño Negro • Caño Negro Lake

Cormorán biguá • Neotropic cormorant

The refuge in the north of Alajuela province was created in 1984 over 10,171 hectares. It consists of a seasonal lake and surrounding marshland. Caño Negro Lake, which covers 800 ha and is three meters deep is, in fact, a pool of the River Frío, which flows into Arenal Lake. In the dry season, between February and May, the lake almost completely disappears, being reduced to small pools, channels and the arm of the river itself. The area is included on the List of Wetlands of International Importance of the Ramsar Convention. There are five main habitats. The vegetation growing along the edges of the lagoon and along the channels is mainly herbaceous, such as gamalote grass *(Paspalum fasciculatum)* and dormilona *(Mimosa pigra)* dotted with small trees like the abundant ice cream bean *(Inga edulis)*, provision tree *(Pachira aquatica)* and the coral bean *(Erythrina fusca)*. At the edges of the lagoon there is lots of marsh vegetation with abundant juncus *(Juncus* spp*)*.

In the permanently or

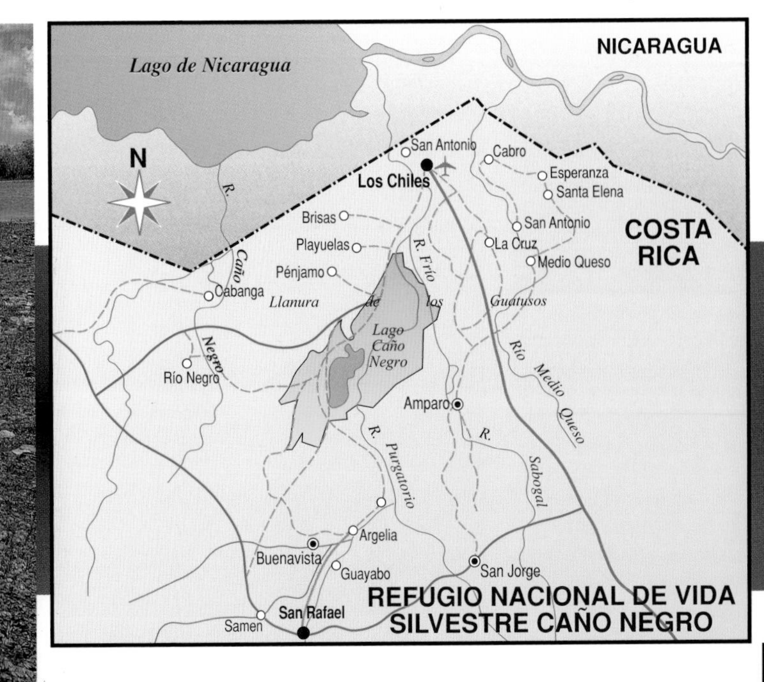

Garza azulada • Great blue heron

especies es menor. En ellos predominan el camíbar *(Copaifera aromatica)* y el caobilla *(Carapa guianensis)*.

que acompañan el corozo o palmiche *(Elaeis oleifera)* y la palma coquillo *(Astrocaryum alatum)*.

La presencia de una importante y variada avifauna es lo que justificó el establecimiento del área como refugio de vida silvestre. Algunas de las aves acuáticas más abundantes son la anhinga americana *(Anhinga anhinga)*, la espátula rosada *(Platalea ajaja)*, el corocoro blanco *(Eudocimus albus)*, la jacana centroamericana *(Jacana spinosa)*, el tántalo americano *(Mycteria americana)*, el suirirí piquirrojo *(Dendrocygna autumnalis)* y el amenazado jabirú americano *(Jabiru mycteria)*. Desde el punto de vista ornitológico destaca la colonia nidificante de cormorán biguá *(Phalacrocorax brasilianus)* que es la

Rebalse del río Frío • Pool of the River Frío

Los marillales son áreas con vegetación muy homogénea formados, entre otros árboles, por el María *(Calophyllum brasiliense)*, el sangregao *(Pterocarpus officinalis)* y la palma real *(Attalea butyracea)*. Por último, en los yolillales el árbol dominante es la palma yolillo *(Raphia taedigera)*, a la

EL CLARINERO NICARAGÜENSE

El clarinero nicaragüense *(Quiscalus nicaraguensis)* es un ave endémica de la cuenca del lago Nicaragua. Popularmente recibe también los nombres de zanate de laguna, totí y garrapatero. Pertenece a la familia de los Ictéridos, la misma de las oropéndolas y de los tordos.

Existe un claro dimorfismo sexual entre el macho y la hembra. El macho tiene un plumaje completamente negro con iridiscencias purpúreas, mientras que la hembra, de tamaño un poco mayor que el macho, posee un plumaje de color café, más brillante y grisáceo en el pecho, con las alas y la cola negruzcos.

Se le localiza en pequeños grupos en los humedales y áreas pantanosas abiertas. Se le ve comer en tierra semillas y pequeños insectos. Su canto se basa en una variedad de silbidos. Muchas veces nidifica en colonias construyendo resistentes nidos, algo burdos, con hojas y zacates. Como la mayoría de las especies de su familia son unos excelentes tejedores. La hembra deposita en ellos de dos a tres huevos azules moteados con manchas oscuras. Ella se encarga de incubarlos por espacio de unas dos semanas. Los pollos nidícolas nacen ciegos cubiertos con un escaso plumón y ambos progenitores se encargan de alimentarlos hasta que son volanderos.

Limitado a la cuenca del lago Nicaragua, la población estable más importante en territorio costarricense se encuentra en el Refugio Nacional de Caño Negro, aunque también pueden encontrarse ejemplares en otras zonas húmedas cercanas a la frontera con Nicaragua.

semi-permanently flooded places, primary flooded forest grows, which features a great variety of tree species such as emery *(Vochysia guatemalensis)*, cotonron *(Luehea seemannii)* and tamarind *(Dialium guianense)*. Camibar forest also grows in flooded areas although it is less rich in species, the predominant ones being copaiba *(Copaifera aromatica)* and crabwood *(Carapa guianensis)*. The marillales areas have very homogenous vegetation, including Santa María *(Calophyllum brasiliense)*, mang tree *(Pterocarpus officinalis)* and royal palm *(Attalea butyracea)*. Finally, the stands of raffia palm *(Raphia taedigera)* also contain American oil palm *(Elaeis oleifera)* and coquillo palm *(Astrocaryum alatum)*. The presence of varied and important birdlife was the reason the area was set up as a wildlife refuge. Anhinga *(Anhinga anhinga)*, roseate spoonbill *(Platalea ajaja)*, white ibis *(Eudocimus albus)*, northern jacana *(Jacana spinosa)*, wood stork *(Mycteria americana)*, black-bellied whistling duck *(Dendrocygna autumnalis)* and the threatened jabiru *(Jabiru mycteria)* are a few of the species that occur in large numbers. In ornithological terms, it is worth noting that the nesting colony of

Jacana centroamericana • *Northern jacana*

Río Frío • *River Frío*

Clarinero nicaragüense • *Nicaraguan grackle*

THE NICARAGUAN GRACKLE

The Nicaraguan grackle *(Quiscalus nicaraguensis)* is endemic to the Lake Nicaragua basin. Popularly known as *zanate de laguna, tott* and *garrapatero,* it belongs to the Icteridae, the family of the oropendolas and blackbirds. There is clear sexual dimorphism between males and females. The male's plumage is completely black with purple iridescent hues, while the slightly larger female is coffee-colored, brighter and grayish on the breast, with blackish wings and tail. These grackles occur in small flocks in wetlands and open marshy areas and can be seen feeding on seeds and small insects. Their song is based on a variety of whistles. They often nest in colonies, building sturdy somewhat coarse nests out of leaves and dry grasses. Like most species in the same family they are excellent weavers. The female lays two to three dark speckled blue eggs. She incubates for about two weeks. On hatching the nest-bound chicks are blind and covered in a thin covering of down; they are fed by both parents until they fledge.

Restricted to the basin of Lake Nicaragua, the most important stable population on Costa Rican territory is in Caño Negro National Refuge although they can also be found at other wetland sites near the border with Nicaragua.

INFORMACIONES PRÁCTICAS

- **Localización:** en la llanura de los Guatusos, al norte de la provincia de Alajuela, muy cerca de la frontera con Nicaragua.
- **Accesos:** dos rutas conducen a este importante humedal: San José-Alajuela-Cañas-San Rafael-Upala-Caño Negro (252 km), y la de San José-Alajuela-Ciudad Quesada-Los Chiles-Caño Negro (201 km). Ambas carreteras están pavimentadas, con excepción de los últimos kilómetros. Existen servicios de autobuses San José-Caño Negro y Los Chiles-Caño Negro.
- **Servicios:** en el refugio hay un centro de investigaciones ecológicas sobre humedales, que tiene laboratorios y habitaciones. En Caño Negro se pueden alquilar botes para recorrer el río, los caños y la laguna.
- **Alojamiento:** en Los Chiles y Upala existen pensiones, cabinas y pulperías.
- **Direcciones de interés:** para mayor información dirigirse a la Oficina Subregional de Upala, Telf./fax: (506) 470-0100.

Caños • Channels

más grande de Costa Rica, y la presencia del clarinero nicaragüense *(Quiscalus nicaraguensis)*, un ave endémica de la cuenca del lago Nicaragua que posee aquí la única población permanente costarricense. Entre los mamíferos amenazados de extinción se encuentran la danta *(Tapirus bairdii)*, el jaguar *(Panthera onca)*, el puma *(Felis concolor)* y el manigordo *(Felis pardalis)*. En el río y también en los caños se encuentran peces como el gaspar *(Atractosteus tropicus)*, un fósil viviente, y una importante población de caimanes *(Caiman crocodylus)*.

Caimán • Caiman

Vegetación palustre • Swamp vegetation

PRACTICAL INFORMATION

- **Location:** on the Los Guatusos Plain, in the north of Alajuela province, very near the border with Nicaragua.
- **Access:** two routes lead to this important wetland: San José-Alajuela-Cañas-San Rafael-Upala-Caño Negro (252 km) and San José-Alajuela-Ciudad Quesada-Los Chiles-Caño Negro (201 km). Both roads are asphalted except for the final kilometers. There are bus services San José-Caño Negro and Los Chiles-Caño Negro.
- **Services:** in the refuge there is a wetland research center with laboratories and rooms. In Caño Negro it is possible to hire boats to travel along the river, the channels and the lagoon.
- **Accommodation:** in Los Chiles and Upala there are guest houses *(pensiones)*, cabins and grocery stores.
- **Useful addresses:** for further information, please contact the Oficina Subregional de Upala on Tel./fax: (506) 470-0100.

Garzas y cormoranes biguás • Herons and neotropic cormorants

neotropic cormorants *(Phalacrocorax brasilianus)* here is the largest in Costa Rica, and the Nicaraguan grackle *(Quiscalus nicaraguensis)*, an endemic species of the basin of Lake Nicaragua, occurs here in the only permanent population in the country.

Among the threatened mammals living here are Baird's tapir *(Tapirus bairdii)*, jaguar *(Panthera onca)*, puma *(Felis concolor)* and ocelot *(Felis pardalis)*. The river and channels are home to fish such as tropical gar *(Atractosteus tropicus)*, a living fossil, and a large population of caiman *(Caiman crocodylus)*.

Suirirí piquirrojo • Black-bellied whistling duck

PARQUE NACIONAL ISLA DEL COCO

Fondeadero para barcos • Mooring site for boats

La isla del Coco fue declarada parque nacional en 1978 con una extensión de 2.309 ha terrestres y 97.235 ha marinas. En el año 1997 la UNESCO la designó Patrimonio de la Humanidad, y en 1998 la incluyó en la Lista de Humedales de Importancia Internacional de la Convención de Ramsar. Fue descubierta por el piloto español Joan Cabezas hacia el año 1526 y ya en 1556 figuraba en el planisferio de Nicolás Desliens con el nombre de Isla de los Cocos.

Se trata de un edificio volcánico que se yergue a 3.000 m desde la dorsal submarina denominada cresta asísmica del Coco, una cadena de volcanes submarinos que se extiende bajo el océano Pacífico desde las islas Galápagos hasta la fosa Mesoamericana frente a punta Burica-Quepos.

La topografía de la isla es muy abrupta, lo que unido a una pluviosidad media anual en torno a los 7.000 mm favorece la formación de numerosas cascadas, algunas de las cuales caen espectacularmente al mar desde gran altura, principalmente al sur y al oeste de la isla. La costa, muy

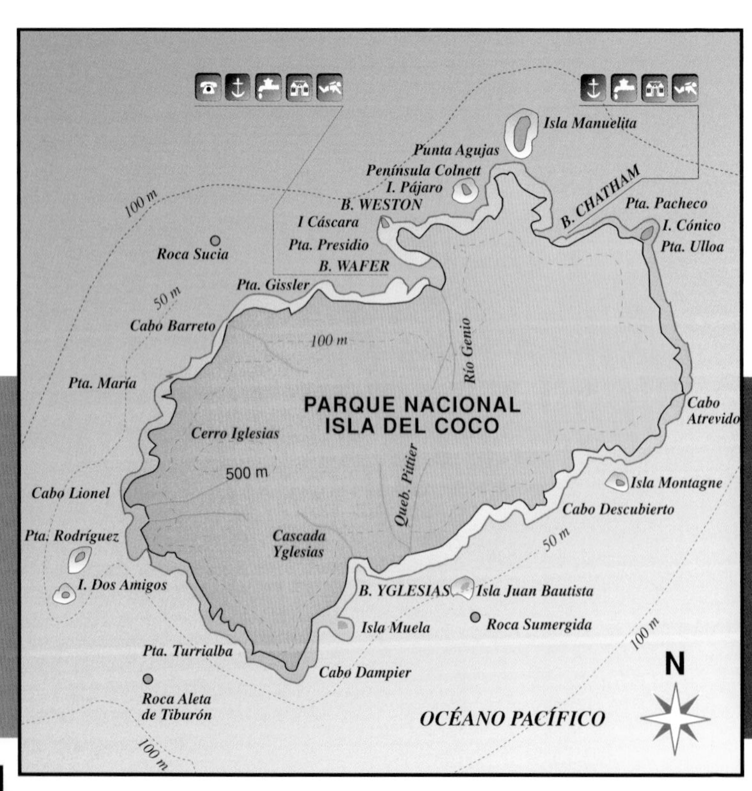

COCO ISLAND NATIONAL PARK

Coco Island was declared a national park in 1978 over 2,309 ha of land and 97,235 ha of marine habitat. In 1997, UNESCO designated it part of the World Heritage and in 1998, it was included on the List of Wetlands of International Importance of the Ramsar Convention.

It was discovered by the Spanish navigator Joan Cabezas around 1526, and in 1556 appeared on the planisphere of Nicolás Desliens under the name Coco Island.

It is a volcanic edifice that rises to 3,000 m from the underwater backbone known as the Coco Seismic Ridge, a chain of underwater volcanoes that stretches under the Pacific Ocean from the Galapagos Islands to the Meso-American Trench off Burica-Quepos Point.

Cascada • Waterfall

The island's very rugged terrain, along with the average annual rainfall of around 7,000 mm, give rise to numerous waterfalls, some of which fall spectacularly to the sea from a great height, mainly in the south and west of the island. The highly sinuous coastline has cliffs over 180 meters high and many underground caves.

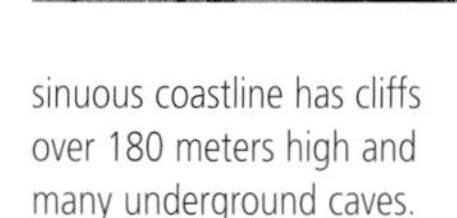

Coco Island is covered in an evergreen forest that is very thick, but somewhat poor in species. It is a premontane rainforest in a transition phase to basal. Cloud often shrouds the island, especially its highest point, the 634-high Cerro Iglesias. 235 species of plant have been identified, including many endemic species (10 vascular plants, 48 non-vascular species, 1 orchid, 17 ferns, etc.). The most common trees are copey *(Clusia rosea)* and palm (*Euterpe precatoria).* The three most important endemic forest species are guarumo *(Cecropia pittieri),* iron wood tree *(Sacoglottis holdridgei)* and the coco palm *(Rooseveltia frankliana).*

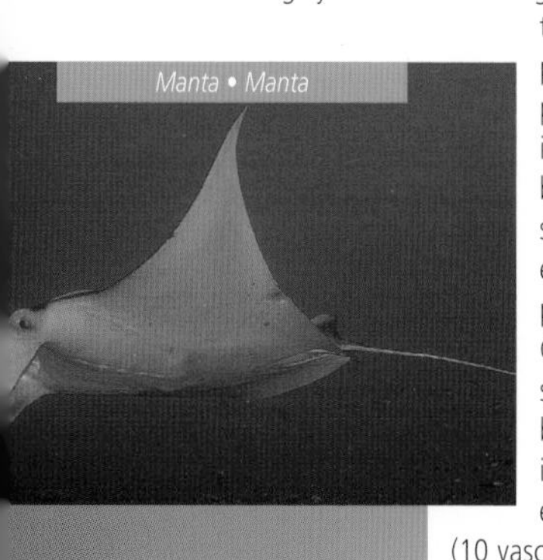

Manta • Manta

Ninety seven bird species have been recorded, including 12 resident species. Many of them are marine species that nest on the neighboring islets. There are three endemic species: the Coco Island cuckoo *(Coccyzus ferrugineus),* Coco Island flycatcher *(Nesotriccus ridgwayi)* and Coco Island finch *(Pinaroloxias inornata).*

Canthigaster sp. • Canthigaster sp.

sinuosa, posee acantilados de más de 180 metros de altura y numerosas cuevas submarinas.

Un bosque siempreverde, muy denso, aunque pobre en especies, tapiza la isla del Coco. Se trata de un bosque pluvial premontano en fase de transición a basal. Las nubes cubren frecuentemente el territorio insular, principalmente su punto más alto, el cerro Iglesias de 634 m. Se han identificado 235 especies de plantas, entre las que se encuentran numerosos endemismos (10 especies vasculares, 48 especies no vasculares, 1 orquídea, 17 helechos...). Los árboles más abundantes son el copey *(Clusia rosea)* y la palma *(Euterpe precatoria)*. Las tres especies forestales endémicas más importantes son el guarumo *(Cecropia pittieri)*, el palo de hierro *(Sacoglottis holdridgei)* y la palma del coco *(Rooseveltia frankliana)*.

Mosquerito de la Isla del Coco • Coco's flycatcher

Se han censado 97 especies de aves, muchas de ellas marinas que nidifican en los islotes vecinos, de las que 12 son residentes. Entre ellas hay tres endémicas: el cuclillo de la Isla del Coco *(Coccyzus ferrugineus)*, el mosquerito de la Isla del Coco *(Nesotriccus ridgwayi)* y el pinzón de la Isla del Coco *(Pinaroloxias inornata)*.

Se han identificado también dos reptiles endémicos, la lagartija (*Norops townsendi)* y la salamandra (*Sphaerodactylus pacificus)* y entre los invertebrados 450 especies de insectos y artrópodos, 57 de crustáceos y 510 de moluscos marinos. No existen mamíferos terrestres nativos aunque en el siglo XVIII se introdujeron venados colablanca *(Odocoileus virginianus)* junto con cabras, cerdos, gatos y ratas. Entre los mamíferos marinos

LOS TESOROS DE LA ISLA DEL COCO

La isla es famosa por los tres grandes tesoros que escondieron en ella entre los años 1684 y 1821 los bucaneros William Davies, Benito "Espada Sangrienta" Bonito y William Thompson. Este último ocultó aquí el denominado Tesoro de Lima que consistía en toneladas de lingotes de oro y plata, láminas de oro que cubrían las cúpulas de las iglesias, así como una gran cantidad de valiosos objetos. Entre ellos se encontraba una imagen de la Virgen y el Niño, de tamaño natural, de oro puro.

Otros muchos tesoros fueron escondidos aquí, hasta el punto que se considera que la isla del Coco es la que en todo el mundo ha acogido un mayor número de tesoros piratas.

Para algunos autores, el famoso escritor Robert L. Stevenson se inspiró en las historias de los tesoros de la Isla del Coco para escribir su famosa novela *La Isla del Tesoro*. Hasta la fecha, más de 500 expediciones los han buscado pero lo único que han encontrado han sido unos pocos doblones.

En septiembre de 1869 el Gobierno de Costa Rica organizó una expedición oficial para buscar los tesoros. El día 15 de ese mismo mes se enarboló la bandera costarricense en lo alto de un palo de balsa y se tomó posesión de la isla. El 28 de junio de 1978, mediante decreto, el Gobierno confirmó el derecho costarricense sobre la isla y sus aguas litorales, extendiendo sus derechos patrimoniales sobre más de 500.000 km² de un mar lleno de vida.

Bosque pluvial premontano • Premontane rainforest

Two endemic reptile species have also been identified, the lizard (*Norops townsendi)* and salamander (*Sphaerodactylus pacificus)* and among the invertebrates 450 species of insects and arthropods, 57 of crustaceans and 510 marine mollusks. There are no native land mammals although in the eighteenth century white-tail deer *(Odocoileus virginianus)* were introduced along with goats, pigs, cats and

Cuclillo de la Isla del Coco • Coco's cuckoo

THE COCO ISLAND TREASURE

The island is famous for the three great treasures that were hidden there between 1684 and 1821 by the pirates William Davies, Benito 'Espada Sangrienta' Bonito and William Thompson. The latter hid the so-called Treasure of Lima, which consisted of tons of gold and silver ingots, gold laminas that once covered church domes and an assortment of valuable objects that included a life-size image of the Virgin and Child in pure gold.

So many treasures were hidden here that Coco Island came to be regarded as the island with the most pirate treasure. Some authors claim that the famous writer Robert L. Stevenson found inspiration in the stories about treasure on Coco Island for his famous novel *Treasure Island*. Over 500 expeditions have so far sought that treasure, but only ever managed to find a few doubloons.

In September 1869, the Government of Costa Rica organized an official search party to look for the treasure. On 15 September the Costa Rica flag was unfurled on the top of a balsa wood pole in an act to take possession of the island. On 28 June 1978, the Government issued a decree confirming Costa Rica's jurisdiction over the island and its coastal waters, extending its patrimonial rights over more than 500,000 km^2 of a sea brimming with life.

Cerro Iglesias • Iglesias Hill

destaca la abundancia de delfines en las aguas insulares, entre ellos el delfín nariz de botella *(Tursiops truncatus),* el delfín común *(Delphinus delphis),* el delfín tornillo *(Stenella longirostris)* y el delfín manchado *(Stenella attenuata).*

Los arrecifes de coral que rodean la isla incluyen 18 especies de corales, entre los que destaca por su abundancia *Porites lobata,* fácilmente identificable por su forma de hongo. En sus transparentes aguas de color azul turquesa viven más de 300 especies de peces, lo que las convierte en uno de los lugares más importantes del mundo para el submarinismo. Son particularmente notables los cardúmenes de tiburones que llegan hasta los 50 ejemplares. Abundan los tiburones de aleta de punta blanca de arrecife *(Triaenodon obesus),* los gigantescos tiburones martillo *(Sphyrna lewini)* y las enormes mantas *(Manta birostris).* También están presentes los tiburones ballena *(Rhincodon typus),* los peces mayores del mundo, junto a numerosos túnidos.

En las aguas litorales es fácil ver nadando tortugas marinas como la lora *(Lepidochelys olivacea),* la carey *(Eretmochelys imbricata)* y la verde del Pacífico *(Chelonia agassizi).*

Pinzón de la Isla del Coco • Coco's finch

INFORMACIONES PRÁCTICAS

- **Localización:** en pleno océano Pacífico; en los 5° 30´15´´ de latitud norte y en los 87° 05´ 46´´ de longitud oeste. Dista 535 km a Cabo Blanco, en la península de Nicoya.
- **Accesos:** el viaje a la isla sólo se puede realizar por vía marítima. Los barcos pueden contratarse en Puntarenas y la travesía dura en torno a las 36 horas. Las bahías de Wafer y de Chatham, al norte de la isla, son las que presentan unas buenas condiciones para anclar.
- **Servicios:** para visitar este parque nacional es necesario solicitar el permiso oportuno al Área de Conservación de la Isla del Coco. En las bahías de Wafer y de Chatham se encuentran puntos de vigilancia con guardaparques. Existe agua potable y diferentes senderos que se adentran en el interior de la isla con espectaculares miradores, así como lugares específicos para la práctica del buceo. No se permite acampar en tierra firme ni la pesca de ningún tipo dentro del límite marino de 15 km alrededor de la isla.
- **Alojamiento:** no existe alojamiento. Éste debe hacerse en el propio barco.
- **Direcciones de interés:** el permiso debe solicitarse en las oficinas de San José, Telf.: (506) 258-7295, (506) 258-8491; fax: (506) 258-7350. Teléfonos directos al parque: (506) 223-6066 y (506) 223-6077; e-mail: isladelcoco1@hotmail.com

PRACTICAL INFORMATION

- **Location:** in the middle of the Pacific Ocean; 5° 30′ 15″ latitude north and 87° 05′ 46″ longitude west. It is 535 km from Cabo Blanco on the Nicoya Peninsula.
- **Access:** the island can only be reached by sea. Boats can be hired in Puntarenas and the trip takes about 36 hours. Wafer Bay and Chatham Bay in the north of the island are the best anchorage sites.
- **Services:** to visit this national park, you need the requisite permit from the Área de Conservación de la Isla del Coco (Coco Island Conservation Area). There are surveillance points staffed by rangers at Wafer Bay and Chatham Bay. There is drinking water and different trails into the island's interior, with spectacular viewing points, as well as specific places for diving. Camping is not allowed on dry land nor fishing of any kind within the marine limits of 15 km around the island.
- **Accommodation:** no accommodation is available. Visitors have to stay on board ship.
- **Useful addresses:** permits must be applied for to the Área de Conservación de la Isla del Coco at the offices in San José on Tels.: (506) 258-7295, (506) 258-8491; fax: (506) 258-7350. Direct tels. to the Park: (506) 223-6066 and (506) 223-6077; e-mail: isladelcoco1@hotmail.com

rats. Marine mammals in island waters include lots of dolphins such as the bottle-nosed dolphin *(Tursiops truncatus)*, common dolphin *(Delphinus delphis)*, long-snouted spinner dolphin *(Stenella longirostris)* and the pantropical spotted dolphin *(Stenella attenuata)*.

The coral reefs around the island include 18 species of coral, for example, the abundant *Porites lobata*, which is easily spotted thanks to its mushroom shape. The transparent turquoise blue waters are home to over 300 species of fish, making it one of the most important places in the world for diving. There are impressive shoals of sharks up to 50 strong, lots of white-tipped sharks *(Triaenodon obesus)*, huge hammerhead sharks *(Sphyrna lewini)* and enormous mantas *(Manta birostris)*. There are also whale sharks *(Rhincodon typus)*, the biggest fish in the world, along with many tuna. In the coastal waters, it is easy to spot sea turtles such as the Pacific ridley *(Lepidochelys olivacea)*, hawksbill *(Eretmochelys imbricata)* and Pacific green *(Chelonia agassizi)*.

Atardecer en la isla • Coco Island at dust

Charrán blanco • Common white tern

Redonda/Plain:
Nombre común/Common name
Cursiva/Italics:
nombre latino/latin name
Negrita/Bold:
Fotografía/Photograph

A

B

D

H

I

J

Q

R

S

U

V

W

X

Y

Z